N

und an

Normalität ist eine gepflasterte Straße,
man kann gut darauf gehen –
doch es wachsen keine Blumen auf ihr.

Vincent van Gogh

GÜNTER BOSIEN

....

Neben der Spur

und andere Wege durchs Leben

....

Bibliografische Information der Deutschen Nationalbibliothek:
Die Deutsche Nationalbibliothek verzeichnet diese Publikation
in der Deutschen Nationalbibliografie;
detaillierte bibliografische Daten sind im Internet
über http://dnb.dnb.de abrufbar.

© 2019 Günter Bosien
Titelbild: Celso Martínez Naves, Freiburg (Brsg.), *Marruecos*, 1998,
Öl auf Leinwand, 34 x 30 cm
Illustrationen: Petra Hagedorn, Hamburg
Satz, Umschlaggestaltung, Herstellung und Verlag:
BoD – Books on Demand, Norderstedt

ISBN: 978-3-7494-2335-4

Inhalt

An meine Leser

Das Verhalten der Menschen ist manchmal rätselhaft. Das gilt bei kritischer Betrachtung auch für das eigene.

Ich gebe zu, mich haben von jeher Menschen beeindruckt, die sich gewollt oder ungewollt nicht dem Drehbuch gesellschaftlicher Konformität unterwerfen. Darüber hinaus fasziniert mich das menschliche Tun in unerwarteten, ungewöhnlichen Situationen. Die eingeübten Verhaltensmuster greifen nicht. Je nach Sprachverständnis erscheint dann manches absurd, töricht.

Angepasstes, aber auch rationales Handeln hat den Vorteil der Berechenbarkeit, der Vorhersehbarkeit. Wir wissen, woran wir sind oder sein werden. Ungewöhnliches, bizarres oder chaotisches Gebaren bietet diese Vorzüge nicht. Es kann jedoch Farbe, Leben in die Normalität, das Einerlei bringen und Nachdenklichkeit erzeugen. Sicherlich werden sich die einen fragen, was mit dem oder der los sei, andere werden staunen, sich ärgern oder vielleicht lachen.

Machen Sie mit mir die Tür auf, treten Sie ein in die Welt meiner Geschichten. Was das Leben lebenswert macht, ist die Freude. Das Lachen ist ihr schönster Ausdruck. Ich möchte Sie beim Lesen zum Schmunzeln, zum Lachen bewegen, aber nicht um jeden Preis.

Der Schutz von Persönlichkeitsrechten hat mich bewogen, die Namen zu ändern und einige Handlungsabläufe zu verfremden. An dem Wahrheitsgehalt selbst hat sich dadurch nichts Wesentliches getan.

In diesem Sinne *Ihr Günter Bosien*

Wie du mir ...

Es gab mal eine Zeit, da lief man nicht wegen jeder Kleinigkeit zur nächsten Polizeiwache, um den Nachbarn oder wen auch immer anzuzeigen. Da hatte nicht fast jeder eine Rechtsschutzversicherung. Das Geld dafür fehlte und der Sinn dafür auch. Aus dieser Zeit stammt Willi, von Beruf Hafenarbeiter. Für ihn wie für andere war es nicht ungewöhnlich zu den Fäusten zu greifen, um Probleme aus der Welt zu schaffen. Das nannte man eine gehörige Abreibung, die der andere verdient habe.

Willis großes Vorbild war sein Vater, der es gleich nach dem 2. Weltkrieg zum Stauervize brachte. Als Vorarbeiter seiner Gang, seiner Arbeitsgruppe, war er beliebt und wusste als ehemaliger Seemann, wie man ein Schiff sachgerecht mit Stückgut belud. Die Ladungsoffiziere kannten und schätzten ihn.

Mit der Frühschicht marschierte auch Willi in dem Heer von Arbeitern, das sich wie ein mächtiger Schwall in den Hafen ergoss. Als hoch gewachsener und kräftiger Junge half er hier und da und war gern gesehen. Dass er viel zu jung war, fiel keinem auf. Sein Vater ließ ihn. Mit ihm hatten er und seine Gang gleich eine Person mehr, um das eine oder andere *gefundene* Gut durch den Zoll zu schmuggeln. Natürlich ganz zufällig ereignete es sich. Keiner konnte es sich so recht erklären, dass einiges *vom Lastwagen fiel* oder *versehentlich verschüttet wurde*. Auch das musste sicher aus dem Hafen gebracht werden. Willi hatte ein gutes Auge. Auf ihn war Verlass, wenn es darauf ankam, die Zöllner auf ihrem Kontrollgang am Freihafenzaun zu beobachten und zu melden, wenn die Luft rein war.

Sie wurde jedoch immer weniger rein, die Luft. Rund um die Uhr überwachten die Beamten den Zaun, sogar in Zivil und mit immer schnelleren Autos. Willis Vater riet seiner Gang erfolgreich zur Mäßigung. Wer beim großangelegten Schmuggel erwischt wurde, dem drohte Hafenverbot verbunden mit Gefängnis. Daran konnten in der Nachkriegszeit ganze Existenzen zerbrechen, Familien in allergrößte Not geraten.

Fundstücke direkt am Mann nach draußen zu schmuggeln, war die gängigste Methode. Sogenannte *Fegsel*, verschüttete Ware, meist Getreide oder Kaffee, einzusacken, war erlaubt, wenn es sich um die Deckung des Eigenbedarfs handelte. In den ersten Jahren nach dem Krieg drückte mancher beim Zoll sogar beide Augen zu. Es gab aber auch andere, weniger gute Zöllner. Die Schauerleute hatten eigene Schimpfworte für sie. Richtig nett war noch die spöttische Anspielung auf ihre grüne Dienstuniform als *Hafenförster*. Derber fiel schon die Bezeichnung *alte Zöllnersau* aus.

Willi liebte das raue Leben im Hafen, und so fing auch er als Schauermann an, selbstverständlich unter seinem Vater. Als der Stückgutverkehr erlahmte und der Containerumschlag an Bedeutung gewann, hatte er auf Anraten seines Vaters bereits seine ersten Umschulungen hinter sich und wurde qualifizierter Hafenfacharbeiter mit einem recht ordentlichen Gehalt. Vorbei die ewige Plackerei und Schinderei; für seine Gesundheit nicht ungünstig. „Der Container ist gut für die Knochen, aber die alten Zeiten waren trotzdem nicht schlecht. Da gab es noch Zusammenhalt, echte Kameradschaft!", wie Willi gern herausstellte.

Willi hatte im Hafen gelernt, sich durchs Leben zu schlagen. Ein kleines Grundstück mit Haus war bald sein eigen. Anfangs half ihm Vaters Mannschaft beim Bau und beim Organisieren des einen oder anderen Gutes. Alles ließ sich bestens an. Natürlich zog er nicht allein ins Heim ein, sondern mit seiner Frau Anna, die ihre Eltern im Krieg verloren hatte.

Das Schicksal meinte es über viele Jahre gut mit ihnen. Aber das Blatt wendete sich. Willis Vater starb früh, Mutter folgte ihm kurz darauf. Diese Schläge ins Kontor, wie Willi sie nannte, konnte er noch verkraften. Anders sah das mit seiner Frau aus, Anna kränkelte. Die Ärzte konnten nicht helfen, versuchten es mit mehreren Therapien. Alles vergebens, sie wurde zusehends schwächer. Bald war Willi allein, Kinder hatten sie nicht. Recht und schlecht versorgte er sich fortan selbst.

Als er Ende 1990 in Rente geht, beschließt er, dass es so nicht bleiben kann. Seinem Nachbarn Helmut erklärt er in seiner klaren und deutlichen Art: „Das Alleinsein stinkt mir gewaltig. Hier muss wieder eine Frau her! Am besten, ich bestell mir eine aus dem Katalog. Vom alten Kumpel habe ich eine Adresse, die soll was bringen."

Helmut kennt Willi recht gut. Willis Haus liegt dicht an seinem Zaun. Schon von daher haben sie Kontakt zueinander. Die Männer funken auf derselben Wellenlänge. Bis auf kleine Reibereien kommen sie klaglos miteinander aus. Helmuts Frau Elke hat da schon eher Schwierigkeiten. Ihr ist der Garten zu ungepflegt und Willi zu *gewöhnlich*, wie sie ab und an ihrem Mann gegenüber betont. Als sie von ihm gar hört, Willi wolle sich jetzt um eine Frau kümmern, sozusagen eine aus dem Katalog zaubern, passt diese Ansage genau zu ihrer Einschätzung: „Wie will dieser Primitivling noch zu einer Frau kommen? Und dann aus dem Katalog, so geht das doch nicht. Aus was für einem Katalog überhaupt? Das kann ja heiter werden! Wer weiß, auf wen wir uns bald einstellen dürfen. Ich ahne Schlimmes."

Helmut will sich auf diese Diskussion nicht einlassen. Meint nur: „Der Otto-Katalog wird's vermutlich nicht sein. Aber von Partnervermittlung hast du ja wohl auch schon was gehört. Außerdem sollten wir doch froh sein, wenn er nicht mehr allein lebt. Ich gönn ihm das." Damit ist für ihn das Thema erledigt, für seine Frau nicht so ganz. Da sich beide auf eine mehrwöchige Seereise begeben, gerät Willis spezielle Suche in Vergessenheit.

Dieser wird schnell fündig. Seine neue Partnerin heißt Yuna und kommt aus Südkorea. Sie hat eine bewegte Geschichte hinter sich. Von Beruf Krankenschwester gelangte sie mit vielen tausend anderen Pflegekräften in den sechziger Jahren nach Deutschland und half mit, den ersten Pflegenotstand an deutschen Krankenhäusern zu beheben. Nach rund zwanzig Jahren zog es sie wieder in die alte asiatische Heimat. Aber als ältere alleinstehende Frau stößt sie dort nur auf Ablehnung. Das Angebot einer Partnerbörse, einem rüstigen Rentner mit Haus in Bremen den Lebensabend zu verschönern, klang dementsprechend verlockend. Willi bezahlte den Flug, und auf Anhieb gefiel man sich. Willi als Mann der Tat fackelte nicht lange und ehelichte Yuna. Das alles geschah noch in der Abwesenheit der beiden Nachbarn.

Die staunen nicht schlecht, als sie gewahr werden, was sich auf ihrem Nachbargrundstück in kürzester Zeit getan hat. Der Rasen ist gemäht, hier und da blühen neuerdings Blumen, und sie erspähen eine kleine Frau mit breitem, flachen Gesicht, die in einem Beet kniet. Willi stellt sie als seine neue Eroberung vor. Elke verschlägt es zunächst die Sprache. Helmut dagegen freut sich spontan mit Willi und Yuna über ihr spätes Eheglück.

Die gemeinsame Freude hält jedoch nicht so lange an. Es liegt nicht allein an Elke, die zuweilen etwas über die krummbeinige Asiatin von sich gibt. Nein, das ist es nicht. Yuna lässt ihren frischgebackenen Ehemann an den Köstlichkeiten der koreanischen Küche teilhaben. Dazu gehören unter anderem ausgekochte Fischköpfe und Mahlzeiten mit Farnspitzen. An sich völlig unerheblich, wenn die Nachbarn nicht in den Genuss übler Gerüche bei der Essenszubereitung kämen. Zwecks häufigen Garens der Farnspitzen stellt Willi eine Räucherkammer an seinem Haus auf, denn der Gestank im Haus missfällt auch ihm. Zwischen dem nachbarschaftlichen Zaun und der angebauten Kammer mit Schornstein und separatem Zugang zur Küche kann man noch vorbeigehen, viel mehr nicht.

Yuna spürt eine nicht versiegende Quelle für essbaren Straußenfarn und Zimtfarn auf. Die jungen, zarten noch eingerollten Wedel wäscht sie sorgfältig, befreit sie von der braunen Hülse, gart sie zunächst, brüht sie ab, schmort, dünstet, brät oder frittiert sie in der Räucherkammer, die ihrem Namen durchaus gerecht wird. Aus dem Schornstein qualmt und stinkt es infernalisch, zumindest für europäische Nasen.

Der Protest von Helmut und Elke verhallt ungehört. Willi grinst nur und lädt die beiden statt dessen zum gemeinschaftlichen Farnessen ein mit Butter und Salz. Es sei erstaunlich lecker. Das regt Elke erst recht auf: „Ich lass mich doch nicht von der koreanischen Kräuterhexe vergiften! Was denken die sich eigentlich? Die sind ja wohl richtig süchtig nach dem Zeug. Ich will, dass der Gestank aufhört! Helmut tu was!"

Das ist allerdings einfacher gesagt als getan. Dummerweise erhalten sie keinen Beistand aus der übrigen Nachbarschaft. Offensichtlich sind es immer nur sie, die in der Windfahne hängen. Andere stören sich nicht an der Qualmerei. So bleibt meist nichts anderes übrig, als Türen und Fenster zu schließen und sich ins Haus zurückzuziehen.

An einem schönen, warmen Sommertag liegen Helmut und Elke draußen in ihren Liegen. Wohlig ausgestreckt genießen sie die Sonne. Pünktlich um 12:00 Uhr beginnt es. Weißer Rauch steigt auf und wabert in ihre Richtung. Helmut schnellt hoch, greift sich wortlos eine Leiter, stellt sie an den Zaun. Weist seine Frau an, den Wasserschlauch zu holen, hält ihn von oben in den qualmenden Schornstein und beendet zügig mit wenigen Wasserstößen die Qualmerei. Elke jubelt. Helmut, hoch oben auf der Leiter stehend, verzieht triumphierend das Gesicht.

Aber zu früh gejubelt. Um die Ecke kommen Willi und die klatschnasse Yuna angesaust, mit einem dicken

Gartenschlauch im Anschlag, zielen auf Helmut, der von der vollen Ladung getroffen sich so erschreckt, dass er im hohen Bogen von der Leiter fliegt. Ein paar weitere Wasserattacken veranlassen ihn, sich schleunigst aufzuraffen, humpelnd und fluchend ins Haus zu flüchten. Elke kreischend hinterher.

Für die Nachwelt sei vermerkt, die wechselseitigen Güsse aus dem Schlauch führten tatsächlich zu einer Abkühlung der Gemüter. Selbst Helmut und Elke stellten fest, die Spitzen mancher Farnarten seien wahrlich eine Delikatesse und schmeckten wie eine Mischung aus Spargel und Spinat. Der Dunst beim Zubereiten sei dabei eine hinzunehmende Nebensächlichkeit. Ob sie wie Indianerstämme sogar dazu übergingen, gemeinsam berauschende Getränke aus den Farnen herzustellen, ist nicht überliefert.

Heimsuchung

Der Mensch ist ein soziales Wesen und zielt auf Anerkennung. Um das zu wissen, muss man nicht Psychologe, Soziologe oder sonst was sein. Wie so oft im Leben kommt es darauf an, das richtige Maß zu finden, ganz besonders bei diesem in der menschlichen Natur so tief verankerten Streben.

Anerkennung lässt sich auf vielfache Weise erreichen. Durchaus wirkungsvoll, weil auffällig, versuchen es etliche mit einem schönen Aussehen gepaart mit Kleidung der Extraklasse. Den Schönheitsdurchdrungenen stehen mittlerweile viele Türen offen. Sie zu durchschreiten, ist vor allem eine Frage des Geldes.

Selbst Kinder werden nicht selten als Statussymbole missbraucht. Das geht bereits mit der Namensgebung los. Das Besondere an der Nachkommenschaft soll ein ausgefallener Name signalisieren. Erzieherinnen in den Kindergärten erahnen schon an den Vornamen, was auf sie zukommt.

Eltern, die ihre Kleinen morgens in der Krippe abgeben, vorher und danach noch ein bisschen zusammenbleiben, erfahren hautnah, was manche von ihren Kindern erwarten und bereit sind, ihnen anzutun. Empfohlene Ratgeber werden gewälzt, das angesagte Spielzeug herbeigeschafft, alle möglichen Veranstaltungen besucht und Termine gebucht. Aufgeregt wird diskutiert, was wissenschaftlich erwiesen das Richtige für das Kind sei und was man auf keinen Fall tun solle. Der eine Vater und die andere Mutter stehen still und in sich gekehrt daneben.

Stolz verbreitet eine Wortführerin: „Stellt euch mal vor, unser Magnus kann mit seinen zehn Monaten nicht nur stehen, sondern macht inzwischen seine ersten Schrittchen. Seit gestern artikuliert er sogar *Mama* und *Papa* - richtig verständlich. Darüber sind wir sehr glücklich. Nie hätten wir das zu träumen gewagt, zumal die Schwangerschaft nun wahrlich nicht einfach war. Immer die Angst im Nacken."

Wer dann nicht standhaft ist und an eine selbstständige Entwicklung seines Kindes aus sich heraus glaubt, könnte irre im Kopf werden. Vor allem, wenn er hört, was auch die anderen Kinder schon alles so können, das eigene jedoch davon noch meilenweit entfernt ist.

Mit Haus und Garten lässt sich auch trefflich renommieren. Richtig schlimm kann das werden, wenn man sein Heim in einem Neubaugebiet erworben hat. Fast immer trifft man in derartigen Siedlungen auf Träger einer ganz speziellen Kultur, die wissen, dass Neid hart erarbeitet sein will und ihn für die höchste Form der Anerkennung halten. Sie tun nahezu alles, um sich an der Sonne der Bestätigung und Wertschätzung zu wärmen.

Entscheidend ist es für sie, nett zu sein, sogar hilfsbereit, denn nur so kommt man mit anderen ins Gespräch und kann hier und da gezielt unabsichtlich einige Brocken fallen lassen wie zum Beispiel, man beauftrage einen Gartenarchitekten mit der Anlage des Grundstückes, und dieser habe eine Sichtachse vorgeschlagen. So etwas macht Eindruck. Solche Leute bleiben nie allein; andere, ähnlich Strukturierte gesellen sich gern dazu.

Unangefochtene Spitzenreiter sind Maria und Hartmut mit ihrer Villa im Toscana-Stil und ihrem Garten mit der Sichtachse. Fast jeden lassen sie an ihren Ideen für teure Einbauten und der Auswahl angeblich exquisiter Baumaterialien teilhaben. Sie prahlen mit ihren Bädern und einer Küche, die extra so groß sein muss, um darin gemeinsam mit ihren Slow-Food-Bekannten wirklich angemessen kochen zu können.

Hartmut liebt es zuweilen, grob und hochfahrend zu sein. Besonders einen Lehrer, der immer noch seinen alten Mazda fährt, ließ er wissen, was er von ihm hält: „Sie sind ja ein richtig armes Schwein mit so einer Gurke. Schon mal an Leasing gedacht, wie ich das mache? Da hat man immer die neuesten und besten Autos." Der Lehrer, gewohnt, dämlich angemacht zu werden, entschied für sich, wer das arme Schwein sei, hielt mit seiner Meinung hinter dem Berg.

In dem Neubaugebiet pflegt man die Nachbarschaft. Mit der Zeit kristallisiert sich ein Kreis heraus, der sich öfter trifft. Vor allem die Frauen sitzen häufig zusammen, meist bei Hedwig, der ältesten Nachbarin. Ihre Kuchen genießen einen legendären Ruf. Eigentlich immer schließt sich nach der munteren Kaffeetafel ein Likörchen an. Hedwig, von einigen inzwischen *Hede* genannt, verrät gern ihre Backgeheimnisse. Da Frauen nun mal Rezepte lieben und bereitwillig austauschen, haben diese Treffs schon von daher ihren Wert. Außerdem redet man besonders lebhaft über die, die nicht da sind. Diesmal über die *Italiener,* wie man Maria und Hartmut mit ihrer Toscana-Villa nennt.

Es ist, wie nicht anders zu erwarten, nicht gerade freundlich, was die Frauen tratschen. Mit ihrer Kritik liegt Hedwig voll im Trend: „Also, ich glaub ja nicht alles, was die mir da so zutragen. Da ist viel Angabe im Spiel. Im Ernst, ich lauf hier nicht rum und posaune in die Gegend, was ich in meinem Haus habe. Und wen ich einlade, der kann das ja auch selber sehen." Beifälliges Gemurmel begleitet ihre Rede. Das nächste Likörchen macht die Runde. Julia, die Jüngste, fragt keck: „Habt ihr auch ne Sichtachse?" Kurze Stille, aber dann beginnt das Gepruste und Gelache und beinahe im Chor: „Nee, wir haben noch was ganz anderes, wir brauchen so was nämlich nicht!"

Julia lässt aber nicht locker: „Mal abgesehen von der dämlichen Sichtachse, die Küche würd' mich schon interessieren. Kennt die jemand?" Verneinendes Kopfschütteln allenthalben.

Hede hat es schon die ganze Zeit vor, jetzt ist der richtige Augenblick gekommen, sie sind dafür in der besten Stimmung: „Ich hab da was, und wenn ihr wollt, dann könnten wir." Triumphierend hält sie ein Schlüsselbund hoch. „Was glaubt ihr wohl, was das ist? Ich hab den Schlüssel von den Italienern."

Mehr braucht sie nicht zu sagen. Maria und Hartmut sind im Urlaub, ihr Sohn Martin zu einer Fortbildung. Erst nach drei Tagen wollen sie wieder da sein. Hedwig soll in der Zwischenzeit auf das Haus aufpassen.

Manches geht auch ohne Worte, kichernd machen sich

fünf Damen eilig auf den Weg zur Toscana-Villa mit den repräsentativen weißen Säulen vor der Haustür.

Zunächst noch leise betreten die Neugierigen den Flur. In der Küche um die Ecke lässt man es schon lauter angehen. „Na ja, groß ist sie, aber doll auch nicht!", ist der allgemeine Kommentar. Gackernd wird das Wohnzimmer, der Kamin, der Fußboden mit den angeblich kostbaren Fliesen inspiziert. Zu allem und jedem gibt es ein Urteil. Julia trifft es mit ihrer kritischen Bemerkung: „Eigentlich hätte ich an der Wand einen größeren Flachbildschirm erwartet. Die tun doch immer so, als ob sie's hätten."

Gemeinsam begibt man sich ins Schlafgemach. Der von einem Tischler angefertigte, in weißem Schleiflack gehaltene und darüber hinaus begehbare Kleiderschrank findet Anerkennung. Sie wollen es nicht zugeben, aber es juckt ihnen in den Fingern. Zu gern hätten sie die Türen geöffnet, unterlassen es jedoch vorerst. Stattdessen befühlen sie die schweren Samtvorhänge und prüfen das große Ehebett. Weiter kommen die Frauen nicht, denn plötzlich steht im Türrahmen ein kräftiger junger Mann in Unterhose, die Fäuste hoch gereckt, entschlossen zum Kampf.

Früher von der Fortbildung nach Hause gekommen, lag Martin im Schlaf, als er meinte, Schritte zu hören. Gemurmel und Gekicher reißen ihn endgültig aus seinen Träumen. Nicht wissend, was er tut, hechtet er halbnackt nach unten, bereit, sich den Einbrechern zu stellen. Als er die bekannten Gesichter der Nachbarinnen sieht, bleibt ihm die Spucke weg.

Die Frauen kreischen *Huch* oder so ähnlich und schlüpfen an Sohnemann vorbei Richtung Haustür. Julia ist die letzte, die sich verdrückt. Kleinlaut meint sie: „Wir wollten nur mal nach dem Rechten sehen, ob alles in Ordnung ist." Hede ruft noch von draußen: „Martin, ich hab die Schlüssel auf den Esszimmertisch gelegt. Jetzt sind Sie ja da."

Nie wieder erhielt Hedwig die Schlüssel für die Toskana-Villa. Allerdings erzählen Maria und Hartmut auch nichts mehr über ihr Haus. Man hat es ja gesehen.

Auf Abwegen

Meine Frau hat außer sich selbst noch etwas Wunderbares in die Ehe gebracht, und das ist das Gewehröl der Marke *Ballistol*, um die Jahrhundertwende für das Heer des Deutschen Kaiserreiches entwickelt.

Wer nun glaubt, wir seien ein hoch gerüsteter Haushalt, der irrt. Friedliebend sind wir, haben keine Schusswaffen und dementsprechend keine Verwendung eines Öles zur Pflege derselben. In den ersten Tagen unserer Ehe nahm mich mein Schwiegervater Karl beiseite, ein angesehener Sattlermeister, mit Preisen und Auszeichnungen überhäufter Pferdegespannlenker. Nach dem feierlichen Überreichen eines großen Gebindes weihte er mich Neuling in die vielfältigen Vorzüge des kaiserlichen, biologisch abbaubaren Öles ein. Seitdem weiß ich, Ballistol an sich ist schon eine Wunderwaffe.

Jäger, die vereinsamt auf ihren Hochständen saßen, sich aus irgendwelchen Gründen Magengeschwüre anärgerten, vielleicht weil das Büchsenlicht mal wieder so schlecht war und ihr Ruf sowieso, griffen irgendwann zu einem Fläschchen Ballistol, gemäß dem Motto, was für meine Flinte gut ist, kann auch mir nicht schaden. Und siehe da, nach längerer gewissenhafter Einnahme bei gleichzeitigem Unterdrücken eines heftigen Würgereizes verschwanden die hässlichen Geschwüre, und die Jäger lebten immer noch.

Mit den Jägern merkten die Tierärzte auf und stellten fest, was Generationen von Militärärzten schon vor ihnen wussten, auch äußerlich angewendet entfaltet es erstaunliche Wirkungen. Die Wundheilung verläuft schneller, unkomplizierter und nahezu narbenfrei.

Somit ist dem Erfinder des Öles, dem Chemiedozenten Dr. Helmut Klever, genau das gelungen, was die kaiserliche Heeresleitung als Anforderungen an ein Universalöl ausschrieb. Neben vielfältigen Anwendungen sollte es auch den Soldaten als Wundöl für kleinere Verletzungen, Risse und Abschürfungen dienen.

Bei der Pflege und Konservierung von Metall, Holz und Lederwaren genießt es unter Insidern zu Recht einen legendären Ruf, der sich zwangsläufig auch auf unsere Kinder übertrug, zumal wir – bis auf meine liebe Frau – dazu übergingen, das Spezialöl für noch weitere, bis dahin völlig unbekannte Zwecke auszuprobieren. Vermutlich wird es jeder schon ahnen, bei vielen Gelegenheiten habe ich eine kleine Flasche Ballistol parat.

Auf einem Kollegiumsausflug an die Nordsee geschieht der Kollegin Isabella ein Missgeschick. Übrigens, einer wegen ihres aparten Aussehens und ihres scharfen Verstandes geschätzten Oberstufenlehrerin. Als sie sich von einem Betonklotz nahe des Deiches erhebt, prangt ein hässlicher Teerfleck achtern auf ihrer nagelneuen Jeans. Es ist Sommer und warm. Kurz entschlossen zieht sie ihre Hose aus. In ihrem Unterhöschen sexy anzuschauen, versucht sie fluchend mit der Hose auf dem Schoß mittels Spucke und einem Taschentuch der leidigen Angelegenheit beizukommen. Fehlanzeige!

Wie gesagt, ich habe fast immer ein kleines Fläschchen einer bestimmten Marke bei mir, so auch diesmal. Skeptisch überlässt sie mir die weitere Arbeit. Unter großer

Anteilnahme löst sich der Fleck und muss nur noch ausgewaschen werden. Bereitwillig flitzt ein junger Kollege in ein nahes Lokal. Großes Lob wird ihm zuteil, nicht nur, weil er so schnell zurückkommt, sondern auch, weil er daran gedacht hat, die Hose unter den Fön in der Herrentoilette zu halten. Isabella zeigt jedem, der es will, die porentief reine Jeans. Tage drauf hält man mir kleine mitgebrachte Gefäße unter die Nase, versehen mit dem Wunsch, sie doch bitte randvoll mit dem Zaubermittel zu füllen.

In unserer Wandergruppe verlässt man sich fortan auf seine heilsame Wirkung als Massageöl. Besonders begehrt nach langer Wanderung bei verhärteten Beinmuskeln.

Keiner von uns hatte vor, mehr als dreißig Kilometer am Tag zu laufen. So um die zwanzig sollten es sein, tatsächlich wurden es fünfunddreißig. Zwei Kollegen machen auf den letzten Metern schlapp. Mit Wadenkrämpfen und Schmerzen in der gesamten Beinmuskulatur schleppen sie sich in das Restaurant, unserem Zielort, und von dort gleich in die Herrentoilette. Im Vorraum lassen beide ihre Hosen runter, ich knie vor ihnen, mit meinem Öl ihre Waden und Oberschenkel bearbeitend. Das tut ihnen so gut, dass sie juchzend und stöhnend meine Bemühungen begleiten und mich ermuntern, keinesfalls innezuhalten. In diesem Moment kommt ein Gast rein. Erstarrt sieht er mich an, kniend vor meinen beiden Wanderfreunden mit ihren runtergezogenen Hosen auf dem gefliesten Boden und meinen Händen an ihren Beinen. Fluchtartig macht er auf dem Absatz kehrt, zieht hastig die Toilettentür hinter sich zu, meint nur noch erklärend von draußen: „Ich hab's nicht so eilig!", und weg ist er.

Eigentlich dachte ich, dieses spezielle Erlebnis mit dem Massageöl sei nicht zu toppen. Aber da hatte ich mich geirrt.

In unserem Kollegium gab es mehrere Lehrer, die von den üblichen Klassenreisen nichts hielten. Sie unternahmen keine Reisen an die italienische Riviera oder wer weiß wohin. Statt dessen legten sie Wert auf Aktivitäten, also: Segeln, Kanu fahren, Bergsteigen, Radeln und auch Wandern. Anfangs waren die Schüler nie begeistert, kamen sie nach Hause, erzählten durchweg alle, wie toll das war. Aus Sicherheitsgründen wurden diese Fahrten immer mit einer Begleitperson aus dem Kollegium durchgeführt.

So auch bei einer Wanderung auf dem Moselhöhenweg von Pension zu Pension. Der Tutor Klaus, ein erfahrener Wanderführer, erklärt seinen volljährigen Oberstufenschülern unter anderem, dass sie ihre Rucksäcke nicht zu schwer machen sollten, elf Kilogramm seien vertretbar. Daran halten sie sich auch.

Man versteht sich bestens auf der Strecke von Bernkastel nach Cochem, auch die beiden Lehrer Klaus und Uwe. Das liegt nicht nur daran, dass fast alle eine Flasche Riesling in den Rucksäcken haben. Die jungen Leute merken nämlich, dass sie die ungewohnten Anstrengungen meistern. Die Gemeinschaft funktioniert, und die Abende in den Pensionen sind vertretbar ausgelassen.

Am vorletzten Tag klagt Tutandin Tamara über Beschwerden beim Wandern: Ihre Beine seien so schwer und schmerzten. Mit ihren großen, schönen Augen blickt sie Lehrer Klaus leidend an, durchaus ihrer Wirkung bewusst. Bei jedem Schritt werde es immer schlimmer. Ihr Tutor verspricht, in der Pension sich gleich darum zu kümmern. Bis dahin müsse sie durchhalten. In seinem Gepäck sei ein Massageöl der Marke Ballistol, das habe schon anderen geholfen. Man nennt es auch das *Wunderöl*. Das findet sie total gut und verspricht, gleich zu ihm zu kommen.

Sie erscheint frisch geduscht, eingezwängt in eine enge Jeans. Stellt sich mitten in das Zimmer und fragt mit hilfesuchendem Augenaufschlag: „Was soll ich jetzt tun?" Lehrer Klaus nimmt sich einen Stuhl, rückt an Tamara ran, in der Hand ein Fläschchen Öl, und brummt nur: „Am besten du ziehst die Büx runter, damit ich an deine Beine rankomme." Damit ist sie sehr fix, und Klaus sieht etwas, was er nun wirklich nicht sehen will. Vor Schreck schreit er auf: „Uwe, komm mal schnell!" Uwe erfasst die Situation in Sekundenschnelle, greift sich ein Handtuch und schlingt es um Tamaras Hüften. Im Beisein seines Kollegen massiert Klaus ihre Beine, sehr zu ihrer Zufriedenheit, wie sie ihm am nächsten Tag schelmisch lächelnd bedeutet.

Natürlich wird dieser Vorfall noch am selben Abend zum Gesprächsstoff zwischen den beiden Männern. Klaus kann es immer noch nicht fassen, was ihm da widerfuhr. Uwe hingegen hat eine Erklärung: „Du hast deinen Schülern gesagt, sie sollen nicht so viel Gepäck mitnehmen. Ist völlig o.k. Einige deiner liebreizenden Damen haben das auf ihre Weise gelöst. Die Unterhosen blieben zu Hause im Wäscheschrank. Ich hatte da schon so eine Ahnung. Du wolltest das ja nicht wahrhaben. Wenn du dann eine

Schülerin aus therapeutischen Gründen bittest, die Hose runterzulassen, hast du halt die Bescherung!"

Klaus hat dieses Erlebnis nicht vergessen und ist bis heute noch froh, dass sein Weggefährte Uwe gleich zur Stelle war.

Vielleicht wollen Sie zum Schluss noch wissen, was aus Tamara geworden ist. Nun, mir ist berichtet worden, sie sei eine brave Hausfrau und Mutter geworden. Ob mit oder ohne Gewehröl, ich weiß es nicht.

Weggeworfen

Harry Peters heißt eigentlich richtig Heinrich Peters, aber Harry Peters klingt besser, weil moderner, und darum hat er auch seine Firma so genannt: *Harry Peters KG – professionelle Befestigungstechnik.* Stolz ist er auf seinen Erfolg als Hauptlieferant eines großen Industrieunternehmens. Er arbeitet viel und verlangt dies auch von seiner Belegschaft. Darauf hat er ein Auge.

Als gelernter Maschinenbauer hat er angefangen, dann den Sprung in die Selbstständigkeit gewagt und nach etlichen Fehlschlägen Tritt gefasst. Heute beschäftigt er fünfzig Mitarbeiter. Der Firmenslogan lautet: *Harry – der Festmacher.* Die unternehmerischen Schwerpunkte liegen auf Verbindungen mit Schrauben, modernster Klebetechnik und Spezialnieten.

Sein Steuerberater wird gern bestätigen, Harry Peters ist auf Wachstumskurs. Er meint sogar: „Der Herr Peters hat ein glückliches Händchen, der weiß, wo es lang geht. Aber ich habe ihn auch nicht schlecht beraten, für die Wechselfälle im Leben ist vorgesorgt." – Was immer das heißen mag.

Nun, privat hat Harry tatsächlich vorgesorgt, neben hohen liquiden Mitteln kann er auf eine schöne Villa mit großem, gepflegten Gartengrundstück sehen, natürlich in bester Lage, mit angenehmen Nachbarn, die zu den Arrivierten zählen.

Trotz allem, etwas stimmt mit Harry nicht, und damit muss er leben, es lässt sich nicht ändern. Er sieht wirklich nicht schlecht aus, ist muskulös und kann, wenn er will, sehr charmant sein, sogar voll Witz sprühen. Aber all das ändert nichts daran: Harry ist zu klein geraten. Auch hohe Absätze und dicke Sohlen bringen es nicht.

Seit seiner Jugend leidet er darunter. Dieser, sein Mangel ist vermutlich auch der Grund, warum er ständig am Arbeiten ist. Er braucht den Erfolg als Kompensation für seine mickrige Größe von unter einem Meter fünfundsechzig. Allen will er es zeigen und damit sich selbst. Sein Arzt kennt sein Problem, ihm hat er sich offenbart.

Es nützte Harry nicht sehr, dass ihm sein Medikus quasi mit wissenschaftlichen Fakten kam, wenn auch wenig einfühlsam. So würden die Kleinen im Krieg eine höhere Überlebenschance haben, schon wegen der kleineren Zielgröße und überhaupt lehre ein Blick in das Tierreich, wie vorteilhaft geringeres Wachstum sei. Er brauche ja nur mal an die Hunde zu denken. Kleine Hunde haben eine exorbitant höhere Lebenserwartung als die großen Rassen, wenn das kein schöner Ausgleich sei, ein Geschenk der Natur also.

Renate, seine Ehefrau, übrigens einen Kopf größer, liebt es, sich hübsch zu machen. Harry gefällt das. Sie sind gleich alt, Ende fünfzig. In diesem Alter muss man, wenn man auf sein Äußeres achtet und mit Jüngeren mithalten will, schon einiges tun. Neben ausdauerndem Shoppen verbringt Renate Stunden in Beauty-Shops und Wellness-Oasen. Die übrige Zeit widmet sie ihrem Bridge-Club, dem Garten und ihrem Haus. Kinder haben sie nicht.

Für die Pflege des Gartens verfügt sie in Egon, einem Mitarbeiter der Firma, über eine zuverlässige Stütze.

Egon ist qualifizierter Starkstromelektriker, aber nicht in Deutschland. Dem sogenannten Deutsch-Rumänen verweigerte man die Anerkennung seiner Ausbildung. Auf mehreren Baustellen verdiente er zunächst seinen Unterhalt. Mehr schlecht als recht, bis Harry Peters auf ihn stieß und ihn für die Instandhaltung seines Betriebsgebäudes einstellte. Sehr schnell erarbeitete sich Egon den Ruf eines echten Allrounders. Ruft ihn die Frau des Chefs um Hilfe, ist er sofort und stets gut aufgelegt zur Stelle.

Schon seit Monaten ist Harry mit der Abwicklung eines Großauftrages beschäftigt, Folgeaufträge stehen ins Haus. Kommt er spät abends heim, entspannt er sich noch bei einem Glas Whiskey und fällt dann wie ein Toter ins Ehebett. In den Nächten, in denen er denkt, seine Frau könne ihm ihre besondere Zuneigung und Liebe zeigen, schläft sie meist schon tief und fest. Sobald der Großauftrag unter Dach und Fach ist, soll das anders werden, schwört er sich.

Es wird auch anders, aber nicht so, wie Harry es sich vorstellte. Wieder einmal kommt er spät abends heim. Dabei trifft er auf seinen Nachbarn Gert Müller-Solms, der mit dem Hund seiner Frau Gassi geht. Die beiden kennen und schätzen sich, halten sich für Seelenverwandte und kommen ins Gespräch. Müller-Solms, eine vornehme Erscheinung, hochgewachsen, das graumelierte Haar an den Schläfen sorgfältig zurückgekämmt und wie auch Harry Peters Eigentümer eines Betriebes. Müller-Solms ist dafür bekannt, dass ihn so schnell keiner über den Tisch zieht. Im letzten Jahr wechselte er als Vorsitzender in den Aufsichtsrat seiner AG, lässt es seither ruhiger angehen.

Harry Peters beneidet ihn schon wegen seiner neuen Position im Betrieb und beklagt sich – wenn auch moderat – über die viele Arbeit. So gut wie sein Nachbar es habe, hätte er es auch mal gern. Freie Zeit, für ihn ein Fremdwort. Müller-Solms hört aufmerksam zu, lächelt zunächst, wird jedoch nachdenklich. Unvermittelt fragt er, ob die viele Arbeit vielleicht der Grund dafür sei, dass die Gartenhilfe jetzt beinahe jeden Tag bei Peters zu sehen sei, vor allem in der Mittagspause. Im Garten entdecke man ihn allerdings nur selten. Die lieben Nachbarn zerrissen sich schon das Maul. Kürzlich habe ihn seine Frau darauf angesprochen. Irgendwie erscheine das doch merkwürdig.

Das findet Harry Peters dann auch. Unumwunden gesteht ihm seine Frau, sie fühle sich in letzter Zeit sehr vernachlässigt, und auf den Egon sei wirklich Verlass, in jeder Beziehung. Harry rastet aus: „Wem hast du denn das alles hier zu verdanken? Glaubst du, ich arbeite zum Spaß, während du es mit diesem Niemand hier treibst?" – „Dieser Niemand, wie du ihn nennst, ist sehr liebevoll und fällt nicht wie du tot ins Bett!", damit schlägt Renate ihrem Mann die Tür ihres Zimmers vor der Nase zu und lässt sich nicht mehr blicken.

Früh morgens muss Allrounder Egon bei dem gehörnten Harry antanzen. Wütend stellt er ihn zur Rede, dabei macht er sich so groß, wie er nur kann. Aufgeregt wie ein Zaunkönig wippt er auf seinen Zehenspitzen hin und her, mühsam beherrscht er sich, der Gedemütigte. Zu gern ginge er auf den Treulosen los und haute ihm eine rein. Seine hasserfüllten Anschuldigungen beendet Peters mit einer schrecklichen Drohung: „Erwische ich dich auch nur in der Nähe meines Hauses, mache ich kurzen Prozess. Glaub es. Nicht umsonst hab ich einen Waffenschein."

Das ist Egon zu viel, zumal Harry Peters dafür bekannt ist, seinen Worten auch Taten folgen zu lassen. Geschockt spricht er im Personalbüro seine Kündigung aus und ward nicht mehr gesehen.

Tage drauf stößt Harry wieder auf Müller-Solms. Harry hat vor, sich von Mann zu Mann auszusprechen: „Ich weiß überhaupt nicht, was meiner Frau in den Sinn gekommen ist. Zum Gespött meiner Nachbarn hat sie mich gemacht, treibt es mit so'm Handlanger. Am besten, ich lass mich von dieser Schlampe scheiden."

Gert Müller-Solms schüttelt den Kopf. „Ich kann dich gut verstehen, du bist aufgebracht, gekränkt. Da sagt man vieles. Aber Scheidung, ich weiß nicht. Die Ehe ist ein sicherer Hafen mit einem festen Liegeplatz. Den gibt man so schnell nicht auf!" – „Ja, leider hast du nicht ganz Unrecht. Ich verfluche meinen superklugen Steuerberater, der mir aus Haftungsgründen aufgeschwatzt hat, fast das ganze Privatvermögen meiner Frau zu überschreiben. Fein raus ist sie jetzt. In unserem Ehevertrag gibt es natürlich eine Scheidungsklausel, ich fahr aber schlecht dabei." Sein Nachbar legt ihm die Hand auf die Schulter. „Beruhige dich erst mal, rede vernünftig mit deiner Frau. Dann wird's schon wieder. Hast dich auch zu wenig um sie gekümmert."

Harry sieht seinen Nachbarn, der ihm immer mehr zum Freund wird, dankbar an. Er nickt zustimmend. Da ist einer, der ihn versteht und sicherlich auch, wenn er beichtet, dass er selbst nie ein Kind von Traurigkeit war, vor allem auf den Geschäftsreisen. Was da so scheu am Wege stand und ihn aus schönen, großen Augen anlächelte, habe er ungern allein gelassen.

Sein Nachbar, auch schon lange verheiratet, reagiert gelassen, schwingt nicht die Moralkeule. Harry vernimmt Worte, die sich wie Balsam auf seine geschundene Seele legen: Sehr schnell würden sie als erfolgreiche Männer zur Zielscheibe weiblichen Interesses, sie gehörten zur bevorzugten Beute, das sei in den Frauen so drin. Die haben ein ganz feines Gespür dafür. Man brauche sich ja nur mal umzusehen. Die Männer mit richtig viel Geld, egal wie sie aussehen, ob dick, hässlich oder klein, haben Erfolg bei den tollsten und hübschesten Weibern.

Harry zuckt leicht zusammen. Das Wichtigste aber sei, hört er, die Ehe leide nicht darunter. Darum sei Diskretion angesagt. Wer will denn schon die eigene Frau in Verlegenheit bringen.

Harry lacht, seit langem das erste Mal, greift die Hand seines Nachbarn, drückt sie dankbar und fest. Noch was liegt ihm auf der Seele, er muss es loswerden: „Viel machen kann ich nicht, bin ja nicht blöd. Und eigentlich liebe ich meine Frau. Am meisten ärgert mich was anderes. Weißt was? – Wieso hat sie sich solch einem Mann hingegeben, einem hergelaufenen Niemand? Sie hätte ruhig ein bisschen mehr Geschmack beweisen können. Es gibt doch ganz andere Männer, stattliche, große, die was darstellen, so wie du."

Gert schaut versonnen auf Harry hinab, weiß nicht so recht, ob er sich geschmeichelt, gar eingeladen fühlen soll.

Er räuspert sich, beschließt, nichts zu sagen. Hat er doch längst eine Geliebte, eine junge, diskrete.

Vorgeführt

Die Entscheidung für ein neues Wohnmobil war gefallen. Unser altes hatte immerhin vierzehn Jahre auf dem Buckel, verbunden mit einer hohen Laufleistung.

Alles war wohl überlegt, vor allem die Wahl des Reisemobils. Sowohl der technische Fortschritt als auch der Wunsch nach mehr Komfort bescherten uns zwangsläufig eine aufwendigere Ausstattung.

Es nahte der Tag, an dem wir unser Womo aus dem Werk abholten. Es gefiel uns ausnehmend gut. Ich gab mich sogar der Illusion hin, es zwinkere mir freundschaftlich zu.

Die Übergabe zog sich nicht besonders in die Länge, mir wurde erklärt, worauf ich beim Fahren hauptsächlich zu achten habe. Eine darüber hinausgehende detaillierte Einweisung in die Ausstattung hielten wir für nicht erforderlich. Wer kann schon wie wir auf fast vierzig Jahre Reisemobilerfahrung zurückblicken. Mit den paar Neuerungen würden wir schon fertig werden.

In wenigen Wochen stand die erste Ausfahrt mit Übernachtung nach Bad Segeberg an. Peter Maffay gab sein alljährliches und inzwischen kultiges Rockkonzert auf der Kalkbergbühne. Auf einem nahegelegenen Reisemobilplatz hatten wir für eine Reservierung gesorgt.

Alles läuft glatt. Gekonnt rangiere ich unser Womo auf die uns zugewiesene, ziemlich schmale Fläche. Wegen des großen Andrangs wird *gestapelt*, jede Ecke, und sei sie noch so klein, wird zugestellt.

Bis zum Konzertbeginn haben wir noch Zeit. Das Eine und Andere kann im Reisemobil gerichtet werden. Zuerst öffnen wir die Fenster, um etwas mehr Kühle ins Wohnmobil zu lassen. Die Sonne meint es gut mit uns, beinahe zu gut. Als nächstes liegt das Umdrehen der luxuriösen Fahrerhaussitze an. Eigentlich kennen wir das Verfahren. Man muss nur einen Griff betätigen, und schon kann man den Sitz in den Wohnraum drehen. Im Prinzip ganz einfach, aber Pustekuchen. Zu unserem Erstaunen sehen uns etliche Griffe oder Hebel an. Jeder von uns fuhrwerkt bald mit hochrotem Kopf an ihnen herum. Alles Mögliche geschieht, die verdammten Sitze fahren hoch, schieben sich nach vorn, senken sich oder gehen in die angenehmste Ruhestellung, aber ein Drehen lassen sie nicht zu.

Schließlich und schweißgebadet bekommen wir heraus, man muss nur einen Griff, mit dem wir bisher gar nichts anfangen konnten, etwas rustikaler über einen kleinen Widerstand hochziehen. Selbstverständlich sinnvoll, denn während der Fahrt soll man nicht so einfach den Sitz in die Drehbewegung versetzen können. Ein Glücksgefühl überkommt uns, das ist geschafft.

Mit einem Nachbarn unterhalte ich mich, natürlich über unser neues Auto. Er zeigt sich sehr angetan und interessiert. Ich bin im besten Schwung, als ich einen Hilferuf meiner Frau vernehme: „Günter, ich kann die Toilette nicht spülen. Ist da kein Wasser drin?" Nun weiß ich, die Bordtoilette besitzt als Neuerung einen Extratank. Ich hatte mich vor unserer Abfahrt von dem Füllstand überzeugt. Ein Aufschrauben des Verschlussdeckels bestätigt meine Auffassung, Wasser ist drin. Also stellt sich meine Frau einfach nur dumm an. Dem ist aber nicht so, auch nach meinem Gedrücke tut sich nichts.

In solchen Situationen ist man auf einem Stellplatz nie allein. Natürlich lassen die gut gemeinten Ratschläge nicht lange auf sich warten: „Wenn der Wagen neu ist, kann da noch Luft im System sein. Ich würd ein paar Mal auf den Spülknopf drücken." Dass wir das bereits getan hatten, schafft Ratlosigkeit.

Mehrere schlaue Köpfe sehen in den Zulaufstutzen für den Wassertank und beraten die Angelegenheit. Bis oben steht für jeden erkennbar Wasser. Wassermangel kann keine Ursache sein. Ein Camper meint herablassend: „Dat kenn ich nich, bei mir funktioniert's aber." So richtig hilfreich ist das nicht. Genauso sehen es die anderen, man trollt sich davon, einige kopfschüttelnd.

Mein erster Gesprächspartner bleibt und müht sich redlich, dem Problem auf den Grund zu gehen. Er kapituliert mit der Bemerkung: „Ich hab zwar das große Latinum, aber das nützt hier auch nix." Auch er geht. Wir sind allein mit der nicht spülenden Toilette und unserem Latein.

Frauen haben in bestimmten Situationen einen Vorteil. Nicht selten sind ihnen technische Zusammenhänge fremd. So kommen sie zuweilen auf die tollsten Ideen, die dem ach so technisch versierten Mann mit allerlei Physikwissen absolut abwegig erscheinen, um nicht zu sagen: richtig blöd. Entsprechend höre ich meine Frau bereits mehrfach anmerken: „Gieß doch einfach mal Wasser in den Stutzen, egal, ob das Wasser fast bis an den Rand steht." – Schwachsinn! Aber was soll's, man kann ja mal seiner Frau den Gefallen tun. Vor allem, wenn sie dann endlich Ruhe gibt.

Wer jedoch dumm kuckt, bin ich. Es läuft tatsächlich Wasser rein, ohne dass sich der Wasserspiegel im Einfüllrohr wesentlich hebt. Auf Anhieb funktioniert die Spülung. – Peter Maffay, wir kommen!

In bester Laune kehren wir spät abends zurück zu unserer Hütte auf vier Rädern. Vor dem Schlafengehen soll uns der Fernseher noch über die neuesten Geschehnisse informieren. Elektronik und Automatik tun das, was sie sollen. Die Satellitenschüssel fährt hoch, und gleich darauf erfreut uns ein gestochen scharfes Bild.

Noch angefüllt von der Musik und der grandiosen, ausgelassenen Stimmung vor der Kulisse des Kalkberges, verschließen wir die Türen und legen uns zur Ruhe.

Wir schlafen ziemlich lange, ein gutes Zeichen für das erste Mal in einem neuen Bett. Es ist aber auch gut für die anwesenden Camper. Schlaftrunken öffne ich die Tür, die Sonne scheint. Das hätte ich lieber nicht so unüberlegt tun sollen. In Sekundenschnelle erkennt die abends scharf gemachte Alarmanlage ein unbefugtes Öffnen und knallt aus der Hupe raus, was nur so geht. Ein richtiges Womo hat auf Kundenwunsch schon mal schnell eine Starkton-Doppelfanfare. Schließlich will man ja gehört werden. Wie irre suche ich nach dem Autoschlüssel, um ihn in das Zündschloss zu stecken. Infernalisch hupt es weiter. Wer noch schlummert, ist jetzt wach. Schande über uns, speziell über mich. Hatte doch der einweisende Angestellte eindringlich vor solch einem Fehlalarm gewarnt. Im Übrigen: Ein einfaches Drücken auf den Türöffner des Schlüssels hätte ausgereicht und den Radau deutlich verkürzt.

Unser Womo hat noch mehr zu bieten. Wir beabsichtigen, diese Stätte mit unseren Fehlleistungen möglichst schnell hinter uns zu lassen. Das geht aber nicht. Wir bekommen die Sat-Schüssel nicht runter. Vor dem Losfahren muss sie flach auf dem Dach liegen. Auf den Fernsteuerungen wird hektisch herumgedrückt, zwei gibt es zur Auswahl. Alles vergebens. Selbst das Anlassen des Fahrzeugs nützt nichts. Vorschriftsmäßig hätte sich die beknackte Schüssel von selbst senken müssen. Tat sie nicht, weil ich, wie ich inzwischen weiß, den Motor nicht lange genug laufen ließ.

Nahezu überflüssig zu erwähnen, dass es uns jetzt wirklich reicht und auch, dass es nicht mehr besonders entspannt zugeht. Das eine Wort gibt das andere. Zweifel beschleichen uns ob der Wahl unseres Wohnmobils. Insgeheim wünsche ich mir mein altes zurück.

Bedienungsanleitungen werden herausgeholt. Genervt fischen wir die richtige aus dem Packen heraus. Unverständliche Sätze gespickt mit technischem Wirrwarr müssen wir verdauen. Aber es hilft, die Schüssel senkt sich.

Übrigens, ich möchte mal wissen, wer diese Dinger schreibt und für wen. Für unsereinen jedenfalls nicht.

Bei der Pächterin des Stellplatzes verabschieden wir uns. Im Bilde ist sie über unsere stümperhaften Versuche, sich dem Wohnmobil mit seinen Finessen zu nähern. Wie wenig begeistert wir selbst über uns sind, sieht sie uns an.

„Was glauben Sie, was hier alles so abläuft. Ihr Weckruf

ist nichts dagegen, war ja auch schon nach neun. Und zu Ihrer Beruhigung, so was kommt öfter vor, meistens früher. Mit dem Rangieren haben einige auch so ihre Probleme. Aber ich erleb noch ganz andere Sachen, vor allem zu den Festspielen. Ständig rufen Leute an, wollen einen Platz reservieren. Bei mir läuft immer ein AB. Dann schreien einige: *Hallo, ist da keiner?*, sagen schließlich ihren Namen und bitten um Rückruf. Geht aber nicht, weil die mir ihre Telefonnummer nicht genannt haben, und auf dem Display steht *Unbekannt*. Ein Herr Müller meldete sich noch einmal, bat richtig ungehalten um Rückruf. Beim dritten Mal hat er gepöbelt: *Wenn Sie's nicht nötig haben, dann nich*, und legte auf. Bescheuert – oder?"

Befreit lachen meine Frau und ich auf. Das Hören solch geistiger Ausfälle versüßt das Leben, das tut gut. Mit heiterem Gemüt geht es zurück nach Hause, mit unserem Womo waren wir versöhnt. Aber den Crash-Kurs in Bad Segeberg, den werden wir so schnell nicht vergessen.

Alles auf Anfang

Der Bosque Pintado im spanischen Baskenland sollte es sein. Inge schwärmte schon zu Hause von diesem, dem berühmten *Bemalten Wald*. Vor der Rundtour durch Nordspanien hatte sie aus den Reiseführern einige Ziele herausgepickt und Peter vorgeschlagen. Üblicherweise war er einverstanden. Wichtig war ihm jedoch, dass es nicht zu viele Kirchen würden. Von ihnen hatte er genug, im Gegensatz zu seiner Frau. Jetzt im Rentenalter war er sich sicher, es müssen über die Jahre fast tausend gewesen sein, gefühlt noch viel mehr.

Um so lieber vernahm er, man müsse zu diesem Wald erst mal hinlaufen. So etwas lag ihm und auch, dass es sich bei dem Bosque Pintado um das Meisterwerk des 1930 bei Bilbao geborenen Bildhauers und Malers Augustin Ibarrola handele. Hunderte von dicken Baumstämmen habe er bemalt, ein ganz besonderes Spiel mit Perspektiven, Raum und Farbgebungen betrieben. Eine einmalige Stimmung, zum Teil geheimnisvoll, sei erzeugt, so, als ob die Bäume einen aus stilisierten Augen beobachteten oder aus versetzt bemalten Mündern anlächelten. Verändere man die Blickrichtung und gehe nur ein Stückchen weiter, entdecke man neue aufregende Farbgebungen und Muster. – Das hörte sich wirklich nach was an. Also auf nach Nordspanien!

Vor einer Höhle mit steinzeitlichen Malereien, der Höhle von Santimamiñe, stellen sie mittags ihr Auto auf einem kleinen Parkplatz ab. Für die Öffentlichkeit ist die Höhle schon seit Jahren verschlossen. Die angegliederte

Ausstellung und die Möglichkeit, den Höhlenvorbereich zu betrachten, erscheint ihnen nicht besonders attraktiv. Sie gedenken, demnächst andere, zugängliche Höhlen mit vorgeschichtlichen Bildnissen aufzusuchen.

Ein kleiner Rucksack ist schnell gepackt, ein Baguette, etwas Obst, zwei kleine Wasserflaschen und Regenjacken für den Eventualfall verschwinden in ihm. Es ist zwar ein wunderbarer, warmer Spätsommertag, die Sonne scheint, der Himmel ist strahlend blau, aber im baskischen Bergland kann das Wetter schnell umschlagen, darum auch die festen Schuhe, obwohl es nach dem Reiseführer ein leichter, gut begehbarer Weg sein soll. Jedoch mit der Beschreibung von Wanderwegen im Ausland haben die beiden so ihre eigenen Erfahrungen gemacht.

Bevor Peter den Wagen abschließt, noch ein paar Vorbereitungen tätigt, eilt Inge zu dem Tickethäuschen an der Höhle. Mit eindeutigen Infos kehrt sie zurück. Direkt von dem Parkplatz gehe es in den Wald, man könne auch die Straße wählen, aber der freundliche Spanier habe ihr in gutem Englisch erklärt, er nehme mit seinen Kindern lieber den schöneren Waldweg. Sich zu verlaufen, sei ausgeschlossen, alle Wege führten zum Bemalten Wald.

Auf einem schmalen Waldweg, der sich am Rande eines bewaldeten Berges entlangschlängelt, gewinnen sie allmählich an Höhe. Sie blicken in ein Tal mit saftgrünen Wiesen, braunen Kuhherden, Scheunen und Bauernhöfen an einer engen, wenig befahrenen Straße. Unter ihnen liegt eine Alm, die kein Künstler schöner und herrlicher hätte malen können. Der Mischwald lichtet sich, der Weg führt jetzt steil nach oben, es wird schweißtreibender.

Aber was der Spanier mit seinen Kindern schafft, würden sie ja wohl auch noch locker hinbekommen. Über Felsbrocken müssen sie steigen. Das lässt sich bewerkstelligen, zumal der Weg wieder breiter und leichter zu beschreiten wird und sie in einen Wald mit mächtigen Kiefern gelangen. Auf Peters Frage, wie denn der Künstler seine Farbeimer in den Wald geschleppt habe, bescheidet ihm Inge, dass er vermutlich von dem Dorf *Oma* unten im Tal gekommen sei. Dorthin könne man auch über den Rückweg zum Parkplatz gelangen.

Peters Zweifel über die Richtigkeit des eingeschlagenen Weges verfliegen. Auf jeden Fall steigt seine Achtung vor dem Spanier in dem Tickethäuschen und vor den spanischen Kindern im Allgemeinen. Inzwischen haben sie weit mehr als eine Stunde hinter sich. Das große Kunstwerk inmitten der Natur müsste jeden Augenblick erscheinen, denn nach dem Reiseführer sollte die Strecke vom Parkplatz nicht mehr als drei Kilometer betragen.

Das Gehen gestaltet sich immer angenehmer, zur Linken lichtet sich der Nadelwald, ein kleiner Ort ist zu sehen. Inge meint, das sei Oma, gleich würden sie wohl in den Bosque Pintado eintreten. Aber nach über zwei Stunden des Wanderns ist es kaum noch zu bezweifeln, sie haben sich verlaufen. Haben sie irgendeine Abzweigung verfehlt? Inge rechtfertigt sich: „Der Spanier hat mir gesagt, man kann sich gar nicht verlaufen, alle Wege führen zum Bemalten Wald. Er bevorzugt den Waldweg, und den haben wir ja wohl genommen."

Diskussionen erscheinen zwecklos. Peter hört gedämpften Lärm von vorbeifahrenden Autos. Eine Straße muss in der Nähe sein. Ihr Weg wird immer abschüssiger und leider auch immer feuchter. Bald verharren sie vor einer unpassierbaren Stelle. Auf vielleicht hundert Metern steht ihr Weg mehr als knöcheltief unter Wasser. Sie balancieren auf Baumstämmen, suchen sich Pfade neben der Wasserwüste. Plötzlich einsetzendes Motorengeheul, ein grüner Lada schießt mit aberwitziger Geschwindigkeit durch den Schlamm. Geistesgegenwärtig flüchten die beiden beiseite, werden von dem Wasserschwall des vorbeirasenden Fahrzeugs verschont. Peter meint anerkennend: „Die russischen Geländefahrzeuge scheinen durchaus was drauf zu haben, hätte ich nicht gedacht!"

Als sie unten im Tal auf die Straße stoßen und im Gras ihre Schuhe gesäubert haben, schwören sie sich, egal wie, diesen Weg zurück nehmen sie ganz bestimmt nicht. Statt dessen soll es gemütlich entlang der Straße zurück zum Parkplatz gehen. Sie wähnen sich wieder genau in dem Tal, in das sie anfangs so gern hinuntergesehen hatten. Es kann nicht anders sein. Eine kleine Pause ist jetzt genau das Richtige, es wird gegessen und getrunken. Frohgemut und gestärkt brechen beide auf, hin zu ihrem Auto vor der Höhle. Insgeheim nimmt sich Peter vor, mit dem Herrn aus dem Tickethäuschen ein ernstes Wörtchen zu reden.

Beide sagen, sich in dieser wunderschönen Gegend zu verlaufen, sei wirklich kein Malheur. Man sehe sich nur mal die gepflegten weiß getünchten Bauernhäuser mit den Balkons, dem wunderbaren Holzschnitzwerk und den vielen bunten herunterhängenden Geranien an. So etwas Prächtiges kennen sie nur aus der Schweiz, Oberösterreich oder Tirol. Hier im Baskenland hätten sie es nie vermutet. Aber, die aufgekratzte Stimmung hält nicht lange, findet ein jähes Ende. In der Ferne erkennen sie eine Kreuzung. Die passt nicht in ihr Bild von dem Tal, und überhaupt, so manches passt inzwischen nicht mehr.

Inge sieht eine Frau in ihrem Vorgarten beim Blumenschneiden. Eine Verständigung auf Englisch ist nicht möglich, auf Spanisch wegen einseitigen Unvermögens leider auch nicht. Immerhin, die Gute begreift, dass die beiden zu einer Höhle wollen, deren Namen sie partout nicht mehr erinnern. Inge stottert irgendwas von *Santa*. Das bringt die Erleuchtung, aber auch, dass die beiden völlig falsch laufen. Die Spanierin zählt ihnen an den Fingern vor, dass sie mindestens noch achtzehn Kilometer bis zum Parkplatz von Santimamiñe laufen müssten. Deshalb deutet sie genau in die entgegengesetzte Richtung, und zwar zu einem Ort, namens Ereño, um die drei Kilometer entfernt.

Zwei frustrierte Wanderer greifen zu ihren Wasserflaschen, nicht mehr sehr gefüllt, und machen sich nach Ereño auf, das sie bereits sehen können, aber auch, dass es auf einem Hügel liegt. Die Sonne steht hoch am Himmel. Abgekämpft kommen sie an. Der Ort liegt wie ausgestorben vor ihnen, keine Menschenseele zu sehen. Für die Schönheiten des Bergdorfes haben sie wenig übrig, nehmen sie doch sehr schnell wahr, dass sich keine Möglichkeit des Einkehrens bietet. Weit und breit auch kein Lebensmittelgeschäft. Selbst Inge ist der Appetit auf eine Besichtigung der wuchtigen, mittelalterlichen und alles überragenden Kirche vergangen, ein ganz schlechtes Zeichen.

Unterhalb des Gotteshauses macht sich ein junger Mann an seinem Rad zu schaffen. Zum Glück kennt er sich in der englischen Sprache und der Gegend aus. Auf einen Berg zeigt er, dort müssten sie hin, nicht bis nach oben. Es gebe vorher einen abzweigenden Wanderweg zu ihrem Parkplatz. Wieder keimt Hoffnung auf.

Runter von dem Hügel mit dem Bergdorf und hoch zum Berg. Erfreulicherweise ist dieser Berg, der höchste weit und breit, auch bewaldet, es gibt Schatten. Viel gesprochen wird nicht. Peter hofft inständig, dass bitte schön diesmal ein Spanier recht habe. Inge klagt bereits über Muskelschmerzen in den Waden. Die Wanderung hinauf entwickelt sich zum Albtraum. So intensiv sie sich auch umschauen, sie sehen keinen abzweigenden Pfad. Immer weiter hoch geht es, Inge bleibt zurück. Peter ruft ihr zu, er gehe schon mal vorweg, um den Weg zu erkunden. Schilder weisen auf eine besondere Sehenswürdigkeit hin und auf einen einzigartigen Panoramablick. Oben angelangt erwartet den erschöpften Besucher ein Kirchlein mit Steinbänken. Auf Tafeln wird auch in Englisch auf eine alte heidnische Kultstätte verwiesen und auf die Gründung der jetzt hier befindlichen Kirche, der San Migel Ermita. Es dauert, bis Inge erscheint, die froh ist, sich auf einer Bank niederlassen zu können. Zum Sprechen ist sie wenig aufgelegt, auch mangels Puste. Noch viel weniger interessiert sie der phänomenale Rundblick.

Peter hört Stimmen, zwei Personen keuchen aus einer ganz anderen Richtung den Berg hoch. Bald steht ein kräftig gebauter Mann mit Rucksack und Stöcken vor ihm, begleitet von einer zierlichen Asiatin. Stolz erklärt er Peter in gebrochenem Englisch, er sei unten aus dem Tal nahe der Höhle Santimamiñe gestartet. Nicht viel länger als eine Stunde habe er gebraucht. Seine Begleiterin nickt. Peter reagiert enthusiastisch, endlich soll alles ein gutes Ende nehmen. Die Asiatin dämpft seine Vorfreude und warnt eindringlich mit einem Blick auf das Unterholz, aus dem sie gekrochen kamen: „This way is not recommended! Believe it."

Inge kommt hinzu. Hört von Peter, dass ein Pfad nach unten führe, den die beiden gerade hochgestiegen seien. Dass die Frau ihm davon abgeraten hatte, behält er für sich.

Das, was sie jetzt durchmachen, stellt das bisher Erlebte in den Schatten. So sehr sich Peter und Inge auch anstrengen, den Steig nach unten finden sie nicht. An Bäumen und Sträuchern halten sie sich fest, weichen so gut es geht Dornengestrüpp und mit Stacheln besetzten Ranken aus, klettern über bemooste Steine und Felsen, ständig in der Angst, das Gleichgewicht zu verlieren und den steilen Berg runterzurauschen. Schließlich stoppt sie ein Felsvorsprung. Fast zwei Meter hätten sie sich herunterlassen müssen, absolut aussichtslos. Sie geben auf, treten die Kraxelei zurück nach oben an. Peter hilft Inge, wo er nur kann.

Von Dornen an Armen und Beinen übel zugerichtet, hängen sie schweißnass, hungrig und durstig wieder auf der Bank bei der Kapelle. Die Augen wollen sie schließen, einen Augenblick warten – peng! Ein böser Traum soll vorüber sein.

Es bleibt nichts anderes übrig als zurück ins Bergdorf, dort ein Taxi rufen lassen und mit ihm schleunigst wieder zum Ausgangspunkt ihrer Gewaltwanderung. Inges Mann erklärt grimmig: „Es reicht jetzt wirklich! Bei dem ersten Haus in Ereño klingel ich und bestell uns ein Taxi."

Aber auch das gestaltet sich anders als gedacht. Eine ältere Frau mit Blumengießkanne in der Hand öffnet. Als Peter sie bittet, ein Taxi zu rufen, sieht sie ihn an, als ob er von einem anderen Stern käme. Sie habe noch nie in ihrem Leben nach einem Taxi telefoniert, ihre Nachbarn auch nicht. Würde das jedoch tun, wenn er die Telefonnummer wisse. Peter gibt entnervt auf, der nächste hoffnungslose Fall.

Inge ist ebenfalls ans Werk gegangen, spricht einen Einheimischen an, der gerade seine Kinder von einem Bus abholt, fragt ihn nach einem Taxi. Der Mann ist gutwillig und hilfsbereit. Inge möge einen Augenblick warten, er wolle seine Jungs erst nach Hause bringen, komme dann mit seinem Auto wieder zurück. Er kommt tatsächlich, bedauert, nicht die Zeit zu haben, die beiden nach Santimamiñe zu fahren, und sucht mit seinem Handy nach einer Stelle mit Funkverbindung. Gleich darauf hören beide ihn sprechen. Ihnen zugewandt, erkundigt er sich, ob 25 Euro o.k. seien. Die Fahrt zur Höhle sei ziemlich lang. – Welch eine Frage, das war der ersehnte Lichtblick, endlich!

Das Taxi naht, drinnen sitzt ein gutgelaunter junger Fahrer, der sich freut, zwei Deutsche kutschieren zu dürfen. Seine paar Brocken Englisch hindern ihn nicht, eine lebhafte Unterhaltung zu beginnen. Die Nonnen in der Kirche von Ereño hätten ihm, Carlos, einfach nichts beibringen können. Faltet die Hände, blickt nach oben, lacht lauthals und erklärt mit vielen Gesten, es gebe zwei Routen zum gewünschten Ziel, beide seien gleich teuer, er nehme am besten die reizvollste.

Carlos versteht sich als Fremdenführer, macht während der Fahrt auf die Landschaft, auf kreisende Adler aufmerksam, verlangsamt, wenn es seiner Meinung nach unvergleichlich schöne Ausblicke gebe, redet in einem fort Spanisch, Baskisch, Englisch, manchmal sogar etwas Deutsch. Mit den Händen formt er ein Geweih, stößt dumpfe, grollende Laute aus. So wie er mit seinen Händen herumfuchtelt, dabei seinen Kopf ruckartig bewegt und röhrt, ist kein Zweifel erlaubt, mindestens ein kapitaler

Zwölfender grenzt genau hier sein Revier ab. Das Lachen und der heftige Beifall seiner Fahrgäste animiert ihn zu einer Zugabe, wobei er seinen Stimmbändern alles abverlangt. Sein tiefes, raues Gebrüll macht den Platzhirsch noch gewaltiger, regelrecht majestätisch. Bären hätten die Gegend noch nicht aufgesucht, wie er nach einigem Geräusper kundtut. In Kantabrien, im Gebirge halten sie sich auf. Seine weit ausholenden Armbewegungen lassen auf eine immens hohe Zahl schließen. Gott sei Dank, wenigstens das ist ihnen erspart geblieben.

Eine Viertelstunde verstreicht, als Carlos erneut die Geschwindigkeit verringert und auf einen abzweigenden Weg hinweist: "Way to Bosque Pintado!" Inge und Peter sehen sich irritiert an, denken, sie hören nicht richtig. Sprichwörtlich dumm schauen sie aus der Wäsche. Carlos bemerkt ihre Fassungslosigkeit und stellt nachdrücklich klar: „Oma, Bosque Pintado, very nice."

Spätestens jetzt verstehen sie. Carlos ist inzwischen in das Tal mit den grünen Almwiesen gefahren, das sie am Anfang ihrer Wanderung so bewunderten, und die paar Häuser an der Straße bilden den Ort Oma.

Nach wenigen Kilometern biegt Carlos an einer Kreuzung links ab, zeigt aus seinem Fenster auf einen breiten Fahrweg, der in einen nahen Wald mündet, und erklärt: „Way to Bosque Pintado, easy and best way; very, very nice!" Noch ein paar Meter und sie befinden sich am Parkplatz bei ihrem Auto. Carlos erhält den vereinbarten Fahrpreis und oben drauf ein kleines Trinkgeld. Das erfreut ihn so sehr, dass er winkend und hupend davonfährt.

Da stehen die beiden nun, dreckig, hungrig, durstig und zerschrammt, aber so etwas von glücklich. Und eins ist ohne Worte abgemachte Sache: Morgen werden sie sich von neuem auf den Weg machen zum bemalten Wald. Was hatte Carlos nämlich gesagt? „Easy and best way; very, very nice!"

Lust oder Frust

„Ich gratuliere Ihnen. In meiner Praxis erlebe ich selten so gesunde Männer wie Sie. Wir haben jetzt alle Untersuchungen durch, die Befunde sind negativ. Das einzige, worauf wir achten sollten, ist die Prostata. Sie ist nicht mehr im grünen Bereich, zur Zeit eine leichte Vergrößerung. Für ihre siebzig Jahre aber absolut normal." Nicht nur dem freundlichen Herrn in Weiß gefällt die Diagnose.

Beschwingt und mit sich im Reinen verlässt Dieter Kraft die Praxis und verkündet die frohe Botschaft seiner Frau, die es mal wieder geschafft hatte, ihn zur Vorsorge zu treiben.

Auf einer Radfahrt trifft er einen guten Bekannten, der wegen einer unheilbaren Erkrankung vor Jahren seine florierende KFZ-Werkstatt verkaufte und in Rente ging. Munter putzt er mit seiner Frau die Fenster seines Hauses.

„Hallo Bernd, dir scheint es ja deutlich besser zu gehen. Was macht denn dein Tatter?" Bernd kennt Dieters direkte Art, er mag sie sogar. „Wenn du meinen Parkinson meinst, kann ich dir nur sagen, zum Fensterputzen reicht's. Feinarbeiten am Motor kannst vergessen. Der Doktor hat mich gut eingestellt, außerdem hab ich mir die Prostata entfernen lassen."

„Wieso denn das? Was war denn da?" Bernd schildert Dieter, das Pipimachen, wie er sich in Gegenwart seiner Frau feinsinnig ausdrückt, habe sich zu einer langwierigen Angelegenheit entwickelt. „Da hab ich zum Doktor gesagt: *Raus mit dem Ding*, und jetzt piss ich wie ein Elefant. Kannst dir auch überlegen, keine Krebsangst mehr, richtig gut."

Dieter schüttelt entschieden den Kopf. „Das kann ich mir überhaupt nicht vorstellen. Dann ist ja Schluss mit der Potenz." Ohne Martha, Bernds Frau, hätte er sich bestimmt drastischer ausgedrückt. Aber sie sieht ihn bereits missbilligend, strafend an. Nach Bernds Worten weiß er auch sofort, warum: „Tut denn das noch not? Aber wenn du eheliche Pflichten hast, dann sagst du das dem Doktor. Da gibt's Möglichkeiten!"

Wie ein Wüstling kommt sich Dieter auf seiner Heimfahrt vor. Marthas strafender Blick lässt ihn nicht los. Er meint, sogar Abscheu erkannt zu haben. Kaum vom Rad gestiegen, interviewt er seine Frau, wie sie denn zu der angeblich schönsten Nebensache der Welt stünde. Lächelnd gibt sie Entwarnung.

Trotzdem, fortan beschäftigt ihn das Thema. Er erinnert sich, was die längst verstorbene Inge Meysel, wegen ihrer Rollen und einzigartigen Verkörperung als *Mutter der Nation* geehrt, in einer Talkshow auf eine Frage zum Sex im Alter die Welt wissen ließ. Frank und frei, wie es sich die Kultmimin stets zugutehielt, stellte sie die Gegenfrage: „Meinen Sie diese gymnastischen Übungen? Gott sei Dank, damit ist endlich Schluss!" Dafür erhielt sie tosenden Beifall.

Hatte sie das ausgesprochen, was andere Frauen schon lange fühlten und dachten, es aber nicht auszusprechen wagten? Gerontologische Untersuchungen, nach denen Sex im hohen Alter ein Zeichen von Vitalität und

Gesundheit sei, alles Blödsinn? Von irgendwelchen Sexbesessenen ausgedacht und unters Volk gebracht?

In einem Café wird Dieter unfreiwilliger Zuhörer eines Gespräches, wegen der Lautstärke unvermeidlich. Eine ältere, beleibte Frau, vermutlich in seinem Alter, bestellt zur Torte ein Kännchen Kaffee, sitzt an einem Tisch mit einer jungen Frau. Beide kennen und freuen sich, einander zu sehen. Die ältere erkundigt sich eingehend nach ihrem Befinden und den Kindern. Alles sei gut, vernimmt sie. „Meiner Freundin geht's jedoch schlecht. Die wollen so gern ein Kind. Es klappt aber nicht, ganz im Gegensatz zu uns." Der Kaffee und die Sahnetorte kommen. Liebevoll schaut die Seniorin auf ihr Gedeck, hebt den Kopf und tönt: „Wie gut, das hab ich hinter mir. Nach dem Tod meines Mannes ist auch in dieser Beziehung Ruhe eingekehrt, herrlich!" Genüsslich führt sie ihren Bissen zum dezent geschminkten Mund.

Dennoch, es gibt sie, die anderen Frauen. Tante Charlotte ist eine. Ihre große Liebe verlor sie im Zweiten Weltkrieg. Im Nachkriegsdeutschland herrschte Männermangel. Lotte blieb allein, so ganz aber doch nicht. Wie sie ihrem Neffen im Altersheim gern mit blitzenden Augen verriet, war sie nie ein Kind von Traurigkeit. „Weißt du, den Mann fürs Leben hab ich nicht mehr gefunden, also war's mit Kindern nichts. Aber die Machart, mein lieber Dieter, die hat mir immer sehr gefallen!"

Heiß & kalt

Es ist geschafft! Die Wartezeit beim Beladen der Auto-
fähre im Hafen von Genua haben sie hinter sich, ihr
Fahrzeug sicher in den Bauch des Schiffes bugsiert. Ihre
Kabine erweist sich als durchaus akzeptabel, die Bezeichnung *Suite* nehmen sie als einen Werbegag der Reederei
hin.

Auch wenn es schon spät ist, die Uhr zeigt bereits Mitternacht, sehen sich Jörg und Yvonne kurz auf den Decks
um. Jörg studiert die Aushänge mit den Schiffsregeln,
diese gibt es auf Italienisch und zusätzlich auf Englisch.
Eine willkommene Gelegenheit, sein Englisch aufzupo-
lieren. Yvonne wird es bald zu bunt, energisch zieht sie
ihn weiter Richtung Bar. Einen Absacker genehmigen sie
sich als Abschluss ihres Einschiffens, gespannt auf die
Erlebnisse, die sie erwarten.

Die Überfahrt nach Palermo gestaltet sich ruhig, sicherlich auch ein Grund, warum beide erst spät aufwachen.
Schon im Restaurant erfreut sie der Blick auf den blauen
Himmel. Nur leicht vibrierend durchschneidet das Schiff
die ruhige See. In den klimatisierten Räumen spürt man
nichts von der sommerlichen Hitze. Im Restaurant sind
die beiden so ziemlich die einzigen, viele haben es sich
bereits auf den Deckchairs bequem gemacht und geben
sich der Sonne hin.

Sehr schnell erleben Yvonne und Jörg, wie sich ihre
Hoffnungen auf zwei zusammenhängende Plätze in Luft
auflösen. Das Wettrennen mit den Handtüchern hat

längst stattgefunden. Es gibt so gut wie keine freien Liegen mehr. Sie nebeneinander zu postieren ein Ding der Unmöglichkeit. Hin und wieder erblicken beide zwar einen freien Platz, daneben befindet sich aber mindestens immer ein mit einem Handtuch des Schiffes reservierter.

Der Industriekaufmann Jörg sieht sich selbst als ein Mann der schnellen Entscheidungen. Grundsätzlich schiebt er nichts auf die lange Bank, jung und dynamisch wie er so ist. Langes Abwägen und Zaudern gehört nicht zu seinen Eigenschaften. Die Lage sondieren, kurz nachdenken und dann entschieden agieren, das ist seine Devise. Eine noch freie Liege bietet er seiner Frau an, eine andere reservierte zieht er zu sich, legt das Handtuch auf die nächste, natürlich auch reservierte rechts von ihm. In dem übernächsten Chair sonnt sich eine Engländerin, darauf lässt das englischsprachige Buch auf ihrem gebräunten Bauch schließen.

Entspannt liegt das Paar auf dem Oberdeck, angenehm streicht eine leichte Brise über sie hinweg. Jörg ahnt, dass es bald Stress geben werde. Darauf ist er vorbereitet. So verwundert es ihn auch nicht, als ihm nicht nur die Sonne weggenommen wird, sondern vor ihm eine Mittvierzigerin steht, ihn energisch auffordernd, sofort den Platz zu räumen, der sei für ihren Mann gedacht. Richtig fuchsig wird sie, als Jörg ruhig mit geschlossenen Augen bittet, aus der Sonne zu gehen und erklärt, dass er nicht im Traum daran dächte, sich ihrem Verlangen zu fügen. Sie solle sich lieber hinlegen und relaxen.

Wie eine wilde Katze ginge sie am liebsten auf ihn los, rechnet sich aber angesichts des athletischen Körperbaus ihres Kontrahenten keine Chance aus. Jörg betrachtet die Wütende genau. Sie ist mittelgroß, brünett, besitzt zweifelsohne eine gute Figur, kann darum auch den knappen roten Bikini tragen. Ihr Make-up erscheint vollkommen, und auch die großen weißgoldenen Ohrringe stehen ihr. Sie hat alles, was Männer an Frauen so mögen.

Ihre grünen Augen sprühen vor Zorn, als es aus ihr herausbricht, unpassend zu ihrem Aussehen: „Jeder mit Benehmen weiß, was ein Handtuch bedeutet, egal ob im Hotel oder auf'm Schiff. Aber in so etwas gehören Sie nicht rein. Sie schlafen wohl am Strand oder im Zelt." Jörg hört ihr zu. Aus verengten Augen sieht sie auf ihn herab, ihr schöner Körper bebt. Spaß bereitet ihm ihr Zorn. Es hat sogar etwas Erotisches. Sie scheint es zu spüren, gerät außer sich: „Irgendwo unter Deck rumvögeln, dann spät aufs Deck schleichen und sich in reservierte Stühle fläzen von Leuten, die schon früh aufgestanden sind. Ja, das können Sie, aber da haben Sie sich geschnitten!" Sie schmeißt sich in ihren Liegestuhl, tobt weiter: „Gleich erleben Sie Ihr blaues Wunder, Sie Wichser!" Jörg macht sich keine Illusionen, er sieht Tätlichkeiten voraus.

Hektisch drückt sie auf ihrem Smartphone herum. Kaum steht die Verbindung, schreit sie: „Theo, komm sofort. In deinem Stuhl lümmelt sich so ein Blödmann rum und grinst mich auch noch frech an!"

Zuhörer und Zuschauer hat sie genug, Beifall oder Zustimmung erhält sie nicht. Das kann sie wegen ihrer Beleidigungen nicht erwarten. Jörg fühlt sich nach wie vor wohl in seinem Deckchair, lässt sich nicht aus der Reserve locken. Wer ihn beleidigt, das entscheidet immer noch er selbst. Gelassen vermittelt er seiner vor Wut bebenden Nachbarin, dass die Schiffsregeln ein Reservieren von Deckplätzen untersagten. Dazu müsste sie allerdings Italienisch oder Englisch können. Genau in diesem Augenblick reagiert die Frau einen Stuhl weiter. Sie ist tatsächlich Engländerin und gibt Jörg recht. Auch sie habe ein Handtuch entfernt. Bei den Handtüchern handele es sich um eine typisch deutsche Eigenart. Die Germans machen es einfach zu gern, immer wieder und überall.

Als das Jörg der immer noch Herumkeifenden übersetzt, platzt sie beinahe: „Sie glauben wohl ein ganz Schlauer zu sein, Sie Nichts. Weich in der Birne sind Sie, Sie warmer Klosterbruder, Sie!" Das war's: Sie verstummt, hat ihr Pulver verschossen.

Theo lässt auf sich warten, hat es nicht so eilig, Jörg aus dem Stuhl zu heben. Endlich erscheint er, deutlich größer, aber mindestens zehn Jahre älter als seine Frau, die ihn erwartungsvoll, siegessicher ansieht. Indes, Jörg mustert er lediglich kurz, um ihr danach zu bedeuten, sie finde ihn wieder an der Bar.

Noch heute, einige Jahre liegt die Episode schon zurück, verwendet Yvonne sehr gern den Spruch mit dem warmen Klosterbruder. Immer dann, wenn sie zu ihrem Jörg ins Bett krabbelt, ihr kalt ist, Jörg aber so schön kuschelig warm und ihr genau nach dieser Wärme der Sinn steht. „Oh, du warmer Klosterbruder", hört er dann, und beide kichern, während sie ganz nah an ihren Mann rückt.

Paco – Padre communitatis

Paco gab den Anstoß, Ronda zum zweiten Mal aufzusuchen. Ich rede von Ronda in Andalusien mit der maurisch geprägten, unvergleichlichen Altstadt auf einem über siebenhundert Meter hohen Felsplateau. Paco ist sein Spitzname. Jeder, der ihn näher kennt, darf *Paco* zu ihm sagen. Richtig heißt er Francisco, in Gedenken an den heiligen Franziskus von Assisi, dem verehrten Vater der christlichen Gemeinschaft. Auf Lateinisch: Padre communitatis, kurz Paco.

Nur Paco ist kein Geistlicher, sondern ein erfolgreicher, angesehener Hotelier und Restaurantbesitzer etwas außerhalb der Kleinstadt Ronda in der Provinz Málaga. Auf der ganzen Welt hat er sich herumgetrieben und hat vor, das auch trotz seiner siebzig Jahre noch weiter zu tun, immer dann, wenn es über die Winterzeit sein Betrieb zulässt.

Mit unserem Wohnmobil machten wir vor seinem Restaurant und Hotel halt. Von den Mitarbeitern wurden wir freundlich empfangen und an einen weiß gedeckten Tisch geleitet. Das Essen war vorzüglich, der Wein auch. Für die Essenszeit waren wir gemäß spanischer Verhältnisse viel zu früh dran. Es tat aber nichts zur Sache.

Ein älterer Herr im Anzug, sehr gepflegt aussehend, musterte uns diskret hinter dem Tresen. Zum Bezahlen kam er auf uns zu. Seine Frage, ob wir zufrieden seien, verstand ich. Das war nicht sehr schwer, aber in Spanisch zu antworten schon. Nun weiß ich, dass Spanier

Italienisch gut verstehen. Beide Sprachen sind miteinander verwandt. Also antwortete ich ihm auf Italienisch. Das gefiel ihm.

Es entwickelte sich ein Gespräch, das er bald mit der Bemerkung beendete: „Wissen Sie, ich denke, mein Deutsch ist besser als ihr Italienisch, lassen Sie uns auf Deutsch fortfahren, vielleicht sogar draußen!"

Paco ging mit uns raus, sein ältester Sohn vertrat ihn. Seit längerem war er bereits im Geschäft, aber Paco fällte immer noch die wichtigsten Entscheidungen. Er war der anerkannte Padre des Ganzen, der Paco, der selbstverständlich gefragt wurde. Stolz zeigte er uns die Außenanlagen, den Garten. Zu jedem Baum und Busch, Mauerwerk hatte er eine Geschichte, zum großen Schwimmbad und Hotel. Ein bisschen Viehzeug gab es auch, darunter einen giftigen Hahn.

Ausführlich teilte er uns mit, wie er zu all dem Wohlstand gekommen sei. „Ich war volljährig, sah in dem armen Andalusien für mich keine Chance, bin deshalb losgezogen. Schule habe ich von drinnen kaum gesehen, meine Eltern brauchten mich auf ihrem Bauernhof. So war das damals. Eigentlich war ich ein Analphabet. Rechnen konnte ich, schreiben und lesen so gut wie nicht.

In den sechziger und siebziger Jahren konnte man als Ausländer in Deutschland Geld verdienen, ein Teil davon ging an die Eltern. Bei euch in Deutschland lernte ich meine spanische Frau kennen. Ihr Deutschen habt mir das Schreiben und Lesen beigebracht. Heute weiß ich, was ein Prädikat oder ein Substantiv ist. Bei einem großen deutschen Elektrokonzern begann ich eine Technikerausbildung.

Tagsüber arbeiten, abends und nachts büffeln. Ich hab's geschafft, ich habe meinen Technikerabschluss, auf Deutsch!"

An den Wochenenden, im Urlaub erkundete er mit seiner Frau die Bundesrepublik Deutschland und die angrenzenden Länder. Bald kam ihr Sohn zur Welt und die Frage auf, ob sie in Deutschland bleiben sollten, irgendwie und immer als Fremde, oder zurückkehren nach Spanien.

Sie gingen. In Madrid erzielte er dank seiner deutschen Ausbildung ein hohes Einkommen. „Als meine Eltern starben, fiel mir das Land zu, heute steht darauf mein Hotel. Viel habe ich mit eigenen Händen aufgebaut."

Paco krönte seine Ausführungen mit einer Einladung: „Kommt im nächsten Jahr Ostern zur Santa semana nach Ronda. Dann wird's voll hier, aber nie so voll wie in Sevilla. In Ronda werdet ihr was erleben. Ihr vergesst es bestimmt nicht. Das ist einmalig. Auf der ganzen Welt habe ich Vergleichbares nur in Guatemala geschaut. Ihr könnt mit eurem Wohnmobil bei mir auf dem Hotelgelände stehen. Alles Weitere besprechen wir dann, vielleicht abends bei einer Flasche Rioja. Habt ihr Lust?"

So bin ich an Paco gekommen, und so kam es zu einer innigen Beziehung zwischen zwei Männern, die sich ausgezeichnet verstanden, zu ihrer Freude viele Auffassungen teilten. Und wenn sie sich abends in Pacos Empfangsraum einfanden, gemeinsam die Welt erklärten, flüchteten die Angestellten, weil sich die beiden nicht nur extrem laut unterhielten, es vor Begeisterung gar nicht mitbekamen, sondern sich teilweise lachend umarmten, auf die Schultern klopften und so schnell nicht zum Ende kamen.

Zwei Jahre später sind wir wieder in Ronda, wegen der Osterprozession im März. Auf den Gebirgshöhen von Ronda liegt zwar kein Schnee mehr, aber von ersehnter frühlingshafter Wärme ist nichts zu spüren, wohl aber die eine oder andere frostige Nacht.

Auf Anhieb erkennt uns Paco. „Aha, ihr seid also gekommen. Die Semana santa ist noch nicht im vollen Gang, der Regen hat die Prozessionen ins Wasser fallen lassen. Morgen wollen die Gitanos nachmittags und in der Nacht von der Kirche Santa Maria la Mayor aus, gleich vorne in der Altstadt, ihren Festumzug veranstalten. Das wird vermutlich klappen, der Wetterbericht ist günstig."

Paco erklärt uns, dass sich die Gitanos selbst als Calé bezeichnen, als *Schwarze*. Ihr Jesus, den sie auf der Prozession auf einem Paso tragen, sei deswegen auch ziemlich dunkelhäutig. Ihre Maria transportieren sie auf einem zweiten Paso, die kann auch im Gesicht sehr dunkel bis schwarz sein.

„Im Mittelalter kamen sie als Teil der Roma von Indien nach Spanien und haben bald den christlichen Glauben angenommen, den sie aber auf ihre Art zelebrieren. Vor allem lieben sie den Weihrauch, davon können sie gar nicht genug kriegen. Vor der Kirche nebeln sie sich und die andern Gläubigen ein. In kleinen Tonnen verbrennen sie fortwährend die noch frischen Zweige dieses Zeugs. Vielleicht ist das auch der Grund, warum es bei den Gitanos nicht besonders durchorganisiert abläuft. Ihre Musikkapelle mit den vielen Bläsern, die vorweg marschiert, die ist jedoch gut. – Ach so, ich habe ja noch gar nicht erklärt, was ein Paso ist. Das ist so etwas wie eine schwere

Tischkonstruktion, versehen mit kostbaren Holzschnitzereien am Rand, die sich in mehreren Ebenen überlagern. Spiegel, Bilder und Edelsteine sind eingelassen, vieles vergoldet und oben drauf thront entweder die überlebensgroße Maria meist mit Krone oder Heiligenschein oder die Jesusfigur in einer Szene des Kreuzweges. So ein Paso kann bis vier Tonnen und mehr wiegen, entsprechend viele Männer tragen ihn, aber nie lange, Pausen müssen eingelegt werden. Dann gibt es noch den Trono, dieser ist im Prinzip ähnlich. Die Tragekonstruktion ist anders, das eine oder andere auch. Natürlich ist auch er sehr alt und besonders prächtig. Und nun zu der Prozession, die ich euch empfohlen habe, sie beginnt übermorgen in der Nacht. Ihr solltet sie nicht versäumen. Ganz Ronda wird auf den Beinen sein!"

Für 23:00 Uhr ist sie anberaumt. Wir beschließen, zu Fuß dorthin zu gelangen. Es sind zwei Kilometer, vielleicht noch ein bisschen mehr. Mit warmer Kleidung und Handschuhen haben wir vorgesorgt. Schon der Weg ist etwas Besonderes. Der Mond scheint, die Sterne funkeln in einer unglaublichen Zahl, wie man sie nur in einem wenig besiedelten ländlichen Gebiet bei klarem Himmel erleben kann. Es ist so hell, dass wir auf unserer Wanderung sogar unsere Schatten sehen können, allerdings auch unseren Atem, viel mehr als vier oder fünf Grad sind es nicht.

Eine große Menschenmenge hat sich auf dem grell ausgeleuchteten Vorplatz zur Kirche eingefunden. Menschen dicht gedrängt, auch in den Gassen rund um die Kirche wimmelt es von Schaulustigen. Zwei Kleinlastwagen mit

Fernsehkameras auf ihren Dächern stehen bereit. Reporter mit Mikrofonen bewaffnet interviewen die Wartenden. Stimmengewirr und lautes Rufen verrät, wie viele sich kennen und erkennen. Von einer Prozession weit und breit nichts zu sehen.

Die Zeiger der großen Kirchturmuhr rücken auf die *11* vor. Als sie diese erreichen, schlagen die Turmglocken. Kaum verstummt, ertönt vom Portal der Kirche ein lautes dreimaliges Klopfen. Wie auf geheimen Befehl senkt sich tiefes Schweigen auf die Menschenmassen. Kein Mensch, aber wirklich keiner, sagt mehr etwas. Das gleißende Licht auf dem Platz erlischt, vereinzelt leuchten nur noch ein paar funzlige, gußeiserne Straßenlaternen.

Das schwere hölzerne Tor der Kirche öffnet sich: Aus dem Licht treten drei groß gewachsene Männer in weißen, langen Gewändern mit roten Spitzhauben bekleidet, die nur Öffnungen für die Augen bereithalten. Ihre Hauben gleichen denen des Ku-Klux-Klans. Paco hat uns bereits vorgewarnt, auf keinen Fall dürfe man sie mit diesem Rassisten-Geheimbund verwechseln. In den Händen tragen die Männer einen langen Stab, oben versehen mit einem kunstvoll verzierten Kreuz. Es sind die ersten Büßer, ausersehen, den Zug anzuführen.

Kommandos erschallen, wir hören Kettengeklirr und -gerassel. Die Penitentes nähern sich, Büßer, von denen einige ein massives Holzkreuz tragen. Ich ahne, was Paco die ganze Zeit gemeint hat, was so einmalig sei. Die Büßer mit weißen oder schwarzen Gewändern, den Kopf auch mit einer roten Haube verhüllt, sie hängt jedoch nach hinten, gehen barfuß! Und als ob dies bei der Kälte nicht schon genug ist, an ihren Fußgelenken haben sie schmale Bänder befestigt, die mit schweren Eisenketten verbunden sind. Barfuß ziehen sie diese hinter sich her, auf einem genau vorgeschriebenen und seit Jahrhunderten eingehaltenen Weg, der mindestens zwei Stunden dauert.

Die Spannung wächst, sie ist förmlich zu greifen. Heller Schein aus einer Gasse, direkt neben der Kirche hinter dem Portal lässt ahnen, dass sich etwas nähert. Der Schein gerät größer und größer, wie von Geisterhand geführt, schwebt ein großer Trono auf uns zu, manchmal schwankt er. Hoch über den Köpfen der Umstehenden erscheint die Jungfrau Maria auf einem Thron sitzend, die Hände gefaltet, hinter ihr ans Kreuz genagelt, Jesus Christus.

In fast gleicher Weise gekleidet wie ihre Anführer tragen Männer den imposanten Trono, auf dem vergoldete Kandelaber die Marien- und Jesusstatue in strahlendes Kerzenlicht tauchen. Jeder Träger hat seine mit weißen Handschuhen versehene Hand auf die freie Schulter des Vordermanns gelegt, auf der anderen ruht ein großer vierkantiger Tragebalken. Bestimmt befinden sich noch weitere Träger unter dem Trono. Wegen der Seitenbehänge kann man sie nicht sehen.

Einer der drei beeindruckenden Anführer schlägt mit seinem Stab kurz auf das Pflaster. Auf sein Kommando senkt sich der Trono. Weitere Büßer, jedoch ohne Ketten, zum Teil aber auch barfuß, mit Kerzen und anderen Insignien in den Händen schließen sich dem Zug an. Ein erneutes Klopfen für das Anheben des Trono, der Zug setzt sich Richtung Kathedrale in Bewegung.

Wir werden Zeuge einer Schweigeprozession, während der die Straßenbeleuchtung sukzessive ausgeschaltet wird. Sobald sich der Zug den vielen Tausenden von Wartenden nähert, die die dunklen Straßen und Gassen säumen, lässt er sie verstummen, nicht nur wegen des Kerzenscheines früh erkennbar, sondern wegen des Rasselns und Klirrens der schweren, von nackten Füßen gezogenen Ketten von weitem unüberhörbar. Auch die Mädchen und Jungen, die vorher noch auf ihren Smartphones rumspielten, sich gegenseitig ihre Fotos oder Filmchen zeigten, sich mehr oder weniger neckische Blicke zuwarfen, unterlassen es und schauen andächtig, still den Büßern zu, die unbeirrt ihre Bahn ziehen. Zwischendurch auf Befehl ihre Pausen einlegend, schweigend, aufrecht stehend, anonym, maskiert mit einer Spitzhaube.

Spät nach Mitternacht machen wir uns auf den Heimweg. Durchgefroren kriechen wir ins warme Bett unseres Reisemobils. Die Heizung hatten wir vorsorglich angestellt. Ich möchte mir gar nicht ausmalen, was die Penitentes mit ihren nackten Füßen fühlten, falls sie überhaupt noch was spürten. Welch eine selbst auferlegte Qual, barfuß stundenlang in der bitteren Kälte auszuharren, schwere Ketten mit schmalen Bändern an den zerschundenen Fußgelenken über das Pflaster zu schleifen, genässt von Blut. Und einige bürdeten sich noch obendrein ein schweres Holzkreuz auf, gezimmert aus dicken Balken.

Paco hatte Recht, wir werden das, was wir nachts in Ronda erfahren haben, zeit unseres Lebens nicht vergessen. Es hat uns fasziniert, gefangen genommen, aber auch verstört. Man kann es bewundern, es kann einem aber auch Angst machen. Menschen sind schon eigenartige Geschöpfe, zu vielem fähig.

Aus dem Verkehr gezogen

Der Oberstufenkurs Gemeinschaftskunde befasste sich mit der Thematik der Politischen Grundordnung der Bundesrepublik Deutschland, kein besonders anregender Lernstoff. Die Schüler kümmerten sich um Wahlprogramme, referierten die nach ihrer Meinung wesentlichen Inhalte und übernahmen auch die Diskussionsleitung. Lehrer Mehlund gab wie immer Hilfestellung und Ratschläge, wenn es irgendwo hakte.

Klaus Mehlund war es gewohnt, dass nach Unterrichtsschluss Schüler zu ihm kamen. Er forderte zwar Leistung und das nicht zu knapp, war aber trotzdem beliebt, vielleicht sogar deswegen. In jedem Fall versuchte er, sie gerecht zu benoten und hatte immer ein offenes Ohr für ihre Sorgen und Nöte. In nicht wenigen Fällen wusste er mehr als die Eltern über ihre Sprösslinge, behielt es aber für sich.

Diesmal kommt Erkan. „Haben Sie einen Augenblick Zeit für mich?" – Ja, natürlich, was gibt's?" Was dann Klaus Mehlund vernimmt, verschlägt ihm die Sprache. Sein klügstes Gesicht setzt er nicht auf, so etwas hat er noch nie gehört. „Also, Herr Mehlund, Sie wissen ja, ich bin Türke, habe mich für die deutsche Staatsbürgerschaft entschieden und werde das erste Mal wählen. Von daher ist es auch gut, dass wir Wahlprogramme besprechen. Bei uns in der Familie befasst sich keiner damit. Da läuft nur das türkische Fernsehen. Und ich hab mich entschlossen, die AfD zu wählen."

Nach Fassung ringend, fragt der Lehrer: „Du weißt aber, dass das eine ziemlich rechte Partei ist und nicht gerade ausländerfreundlich?" – „Ist mir klar, aber die haben doch nur was gegen Ausländer, die hier Sch..., äh Mist bauen. Die machen ja auch wirklich genug Probleme. Wenn von denen ein paar verschwinden, ist das auch gut für uns Türken. Sind ja nicht alle so."

Sehr ruhig erklärt Mehlund, dass sein Schüler zweifellos einer der Vernünftigen sei und er auch ein gutes Abitur schaffen könne. Seine Rechnung mit der AfD sei aber nicht besonders überzeugend, vorsichtig formuliert *eher gewagt*. Mehlund nimmt sich Zeit. Er rät dem Schüler, eine andere, deutlich demokratischere Partei ins Auge zu fassen.

In der Tat, Erkan ist einer der Vernünftigen, sehr nachdenklich und fleißig. Nicht so Mehmet. Mehmet gibt sich als der Held überhaupt. Statt sich intensiv um die Schule zu kümmern, ruht er lieber auf der Sonnenbank und prahlt mit superhartem Training und angeblichen Siegen als Champion beim Kickboxen.

Im Klassenraum bevorzugt er die letzte Sitzreihe, zeigt sich und allen gern in geöffnetem Hemd mit Goldkette um den kräftigen Hals und Kappe auf dem Kopf. Mit intellektuellem Einsatz hat er es nicht so. In dieser Hinsicht offenbart er große Genügsamkeit. Das Abitur liegt in weiter Ferne, wenn überhaupt. Ihn reizt mehr das Herumfahren in Vaters teurem Schlitten und das Anmachen von Mädchen. Dass das Letztere nie so recht klappt, verstärkt seinen Ehrgeiz.

Schlapp hängt Held Mehmet in seinem Stuhl oder stützt vornübergebeugt seinen Kopf auf beide Hände. Allerdings nicht bei Klaus Mehlund, bekannt und berüchtigt für Fachkompetenz und Sarkasmus. Vor dessen Autorität kapituliert selbst Mehmets Kappe. Widerwillig nimmt der Schüler sie ab. Ohne sein persönlichkeitsstiftendes Merkmal kommt er sich verdammt nackt vor. Seiner Meinung nach ein nicht hinnehmbarer Eingriff in staatlich garantierte Grundrechte. Mehmet weiß jedoch zu genau um die Kraft Mehlundscher Bemerkungen.

Nach den Maiferien hat sich irgendwas getan. Plötzlich sitzt Mehmet nahezu gerade auf seinem Sitzplatz, beteiligt sich rege und konzentriert am Unterricht. Als das Stichwort *Rechtsstaat* fällt, platzt es aus ihm heraus. Genau auf diesen Moment hat er gewartet: „Also, ich war in den Ferien in der Türkei, in Istanbul. Was ich da erlebt hab, das geht gar nicht. In Deutschland ist vieles nicht o.k., als Türke zählt man ja sowieso nicht, wird als Fußabtreter benutzt. Ist doch wahr! Aber so schnell verhaftet wie in der Türkei wird man hier nicht. Ich saß für ne ganze Nacht und länger im türkischen Knast. Der ist vielleicht krass, richtiges Loch. Für nix! Hab nix gemacht."

Ungläubiges Staunen und Geraune erntet Mehmet. Ausführlich erzählt er nun seine Geschichte. Jeder kann sich leicht ausmalen, was er mit seinem Kumpanen Ata auf den Straßen von Istanbul getrieben hatte. Beide hatten sich einen offenen BMW geliehen. Die Musikanlage voll aufgezogen, fuhren sie langsam mit hämmernden Bässen eine der Prachtstraßen rauf und runter. Wie Mehmet es so liebte, quatschte er auf seine vermeintlich unwiderstehliche Macho-Art hübsche Frauen und Mädchen an. Zigarette im Mundwinkel und in der Hand einen kühlen

Drink, immerhin war er Beifahrer. Sehr lange dauerte der Spaß nicht, dann setzte ein weiß-blauer Polizeiwagen mit Blaulicht und Sirene dem ein Ende.

„Die sahen so aus, als würden sie uns gleich eine reinhauen. Laberten was von Eingriff in den Straßenverkehr, Verstoß gegen die öffentliche Sicherheit und so'n Mist. Wir mussten hinter ihnen herfahren. Irgendwas haben sie uns auf der Wache erklärt, was wir nicht verstanden, bis auf das, dass sie uns mal Benehmen beibringen wollten. Die haben uns doch tatsächlich eingelocht, vorher uns alles abgenommen, Pässe, Geld, Kette, Uhren und so. Gürtel aus den Jeans mussten wir auch rausziehen, und dann sind sie blöd lachend abgezogen."

Nach Mehmets Schilderungen wurden sie in eine kleine Arrestzelle mit acht weiteren Häftlingen eingesperrt, in einen gekachelten Raum mit einer stinkenden, total verdreckten Stehtoilette in einer Ecke. Sitz- oder gar Schlafgelegenheiten gab's nicht. Die ganze Nacht mussten sie bei grellem Licht und mit nicht gerade sehr freundlich aussehenden anderen Zellengenossen auf dem gefliesten Boden ausharren. Mit Schlaf war da nicht viel. Erst vormittags ließ man sie raus.

„Die Bullen, äh Polizisten, haben uns tatsächlich voll frech gefragt, wie wir denn geschlafen hätten. Dabei haben die doch alles auf ihren Monitoren gecheckt. Ihretwegen könnten wir uns in Deutschland so aufführen, aber nicht in der Türkei. Wir haben nur genickt. Was sollten wir denn machen? Echt dreist war, dem Autoverleiher mussten wir auch die Zeit im Knast zahlen. Dabei stand der BMW die ganze Zeit nur vor der Wache rum. Eins weiß ich genau, das ist ein richtiger Unrechtsstaat. Ich sag's euch. So schnell sehen die mich in ihrem Kanakenland nicht wieder, ehrlich."

Im Kurs hält sich die Empörung in Grenzen, das Mitleid mit Mehmet ebenfalls. Einige grinsen still in sich hinein, andere lachen, Erkan auch.

Tausendmal Weihnachten

Klaus Mehlund lehnte sich in seinem Stuhl zurück. Vor ihm auf dem Schreibtisch ein Stapel von Klausuren, durchgesehen, korrigiert und bewertet. Er hatte sich und seinen Schülern bessere Ergebnisse gewünscht. Unzufrieden war er trotzdem nicht, es hätte schlimmer kommen können.

Seine Gedanken schweifen ab, es ist wieder Zeit für das, was er *den Marschkompass neu einstellen* nennt. Nach einigen Tiefschlägen eine liebgewordene Gewohnheit, hin und wieder das Tun auf den Prüfstand zu stellen. Nicht immer nimmt er nur Feinjustierungen vor. Das Leben empfindet er als zu kostbar, um mit ihm gedankenlos umzugehen.

Vor seinem geistigen Auge passiert einiges Revue. Seine Kinder sind aus dem Haus. Sie schlagen schon länger ihre eigenen Wege ein. Im moderaten Maße lassen sie seine Frau und ihn daran teilhaben. Es ist gut so; gut, wie auch ihre gemeinsame Zeit mit ihnen. Klaus Mehlund hält sie sogar für eine der besten Phasen seines Lebens.

Die Bilder der Geburt seiner Kinder tauchen auf. Alles hat er mitgemacht. Bei den Arztterminen war er dabei, das Krankenhaus mit der ambulanten, sanften Geburt herausgesucht, damals noch ein richtiges Unterfangen. Gekauft hatten sie Literatur über die sanfte Geburt, das Für und Wider einer ambulanten Geburt diskutiert. Sie wollten nicht die kühle, medizinische Assistenz in gekachelten oder sonst wie kalt und abweisend anmutenden

Räumen. Sowohl Mutter als auch das Ungeborene sollten sich Zeit lassen können. Die Schwangere sollte ihre Geburtslage selbst bestimmen können, und schon gar nicht wollten sie, dass der neue Erdenbürger mit einem Ruck an den Füßen hochgezogen würde, um ihn zum Schreien und Luftholen zu zwingen.

Mit seiner Frau nahm er an den Geburtsvorbereitungen im Krankenhaus teil. Bald beherrschte er im Verein mit den schwangeren Frauen und ihren Männern Beckenboden- und Atemübungen. Einmal schlief er beim Entspannungstraining sogar mühelos ein. Ein supergutes Zeichen, wie ihm die leitende Hebamme erklärte, aber zu seinem Glück würde er wohl nicht entbinden.

Lehrer Mehlund fühlte sich gewappnet für den großen Moment. Als es dann soweit war und er anfing mitzuhecheln, so wie er das so schön eingeübt hatte, fauchte ihn seine Frau an. Er solle sie gefälligst in Ruhe lassen. Irgendeine Verwünschung schickte sie ihm unter den Wehen hinterher.

Die Niederkunft dauerte, sie zog sich hin. Sanft war da nichts. Alle Ängste fielen mit einem Schlag ab, als das Kind endlich das Licht der Welt erblickte. Kind und Mutter waren geschafft, aber gesund. Die Zeit schien einen Augenblick stillzustehen. Ein Gefühl verspürte Mehlund – so unbekannt und intensiv. Noch heute umschreibt er es mit dem Begriff *Tausendmal Weihnachten*. Dabei denkt er an Kindheitstage, wie aufgeregt, erwartungsvoll sein Bruder und er die seit Stunden verschlossene Weihnachtsstube betraten, verzaubert von dem festlich geschmückten Weihnachtsbaum im Glanz der Wachskerzen. Erwartungsvoll

tasteten ihre Blicke die ausgebreiteten Geschenke ab. –
Tausendmal Weihnachten, ja das war sie, die Geburt. Das
Geschenk: ein gesunder Junge.

Als frischgebackener Vater schien ihm die Welt plötzlich verändert, viel bunter, viel heller. Mit ganz neuen
Gefühlen ging er in sie hinein. Die Verantwortung für
ein Kind wollte er gern tragen, darauf freute er sich.

Von Einzelkindern hielten seine Frau und er nicht so
viel. Mit reichlich Selbstbewusstsein und noch mehr
Gottvertrauen entschied sich seine Frau für Hausge-
burten.

Ihr kleiner Sohn schlief tief und fest, als sich mitter-
nachts das nächste Kind ankündigte. Die Hebamme war
schon seit Stunden im Haus, für die Geburt gerüstet und
bereit. Der Gynäkologe, ein Freund der Familie, wollte
sich bei den ersten Anzeichen auf die Socken machen.

Diesmal ging alles viel schneller. Von dem Stöhnen und
Schreien seiner Mutter aufgeweckt, rannte ihr kleiner
Sohn in das Geburtszimmer. Verstört sah er seinen Vater
an, der ihn gleich auf den Arm nahm. „Mama schreit,
warum?", stieß er mit weit aufgerissenen Augen hervor.
„Sie muss schreien, dann sind die Schmerzen nicht so
groß!", hörte er. Die Reaktion seines Sohnes hat Klaus
Mehlund bis heute nicht vergessen. Erleichtert rief sein
Sohn: "Mama schrei, schrei Mama!"

Kaum war das Baby da, lief er in sein Zimmer und kam
mit einem Stofftierchen zurück. „Für das Baby!", erklärte
er sichtlich stolz, dass er nun eine Schwester hatte. Am
nächsten Tag verkündete er in der Nachbarschaft: „Baby
rausgekommen, Baby rausgekommen!"

Was Klaus Mehlund auf dem Standesamt erlebte, hat sich tief in sein Gedächtnis eingegraben. Die zuständige Standesbeamtin, eine junge Frau mit breitem Gesicht, zeigte sich sehr verwundert, als er die Geburt seines zweiten Kindes anmelden wollte. „Was soll denn das? Das macht doch das Krankenhaus!", bekam er unwirsch zu hören. Ruhig erwiderte er, dass es sich um eine Hausgeburt handele, also ohne Krankenhaus. Und tatsächlich entfuhr es der Standesbeamtin: „Das muss ja ein Pferd sein."

Bis heute ärgert sich Mehlund, dass ihm keine passende Replik einfiel. Auf so etwas *Krasses*, wie es seine Schüler treffend nennen würden, war er nicht gefasst.

Die dritte Entbindung, ein paar Jahre später, verlief noch rasanter und auch wieder ohne Komplikationen. Ihre besten Freunde brachten es auf den Punkt: „Das war ja beinahe schneller als einmal duschen."

Bei der Geburtsanzeige hatte der zuständige Standesbeamte, ein freundlicher, älterer Herr, statt unpassender Bemerkungen herzliche Glückwünsche parat.

Mehlund ist in seinen Gedanken und Erinnerungen so vertieft, dass ihm gar nicht mehr in den Sinn kommt, seine Kompasseinstellung zu überprüfen. Wozu auch, er sieht keinen Grund.

Hühner lügen nicht

Jeder kennt es, jeder weiß es. Nur häufig nützt es nichts. Der Streit entsteht aus dem Unbegreiflichen und das Tollste an der Sache, jeder der Streitenden fühlt sich absolut im Recht. Keiner will sich was gefallen lassen. Das ist die Nahrung des Streites, sie macht ihn stark. Die Konfliktforschung weiß noch mehr, so ein Streit arbeitet sich voran. Es kommt vor, gar nicht so selten, dass er sich nach kurzem Ausbruch verdrückt. Nur, meist verharrt er in Lauerstellung, wartet auf die nächst passende Gelegenheit, um sich zu gänzlich neuer Größe aufzuschwingen.

Die Menschen in einem beschaulichen, noch dörflich geprägten Vorort einer Großstadt kennen sich. Hin und wieder treffen Neuankömmlinge ein. Fast immer sind sie schnell Teil dieser dörflichen Gemeinschaft. Dazu passt, dass man sich untereinander duzt. Das war immer so, und so soll es bleiben. Wo Menschen zusammenleben, gibt es Meinungsverschiedenheiten.

Seit Jahrzehnten trennt eine Buchenhecke ein Kleingartengebiet von einem Flurstück mit drei Einfamilienhäusern. Noch bis in die achtziger Jahre existierte dort eine Kleinbauernstelle mit allerlei Viehzeug. Nach und nach hatte die Bauernfamilie die umliegenden Flächen veräußert. So entstand auch der Kleingartenverein *Schlupfwinkel e.V*, gepachtet von der Stadt, die aus welchen Gründen auch immer bei dem Kauf den Zuschlag erhielt.

Gleich neben der Hecke verläuft ein Plattenweg, von dem die Zugänge zu den drei Häusern abzweigen. Wird so eine Hecke höher und vor allem breiter und der Plattenweg immer schmaler, besteht Handlungsbedarf. Es stand unumstößlich fest, die Hecke ist Teil des Kleingartens, die jeweiligen Parzellenbesitzer sind für den Heckenschnitt auf beiden Seiten verantwortlich. Lediglich Franz mit dem Beinamen *der Flotte* meckerte an dieser Verantwortlichkeit herum, fügte sich aber.

Die Parzellenbesitzer wurden älter, das Schneiden beschwerlicher. Dem einen oder anderen geisterte durch den Kopf, ob das wirklich seine Aufgabe sei. Neue Pächter kamen hinzu, die Neigung, die inzwischen mächtige Hecke um den Jahrestrieb zu kürzen, verlor sich zusehends. Die Nachbarn reagierten mit barschem Unverständnis.

Im Kleingartenverein steckt man die Köpfe zusammen, berät die Angelegenheit. Kuddel, der älteste Gartenfreund, von Anfang an dabei, wird befragt. Er weiß zu berichten, dass die Hecke schon immer stand, nie vom Kleingartenverein oder der Stadt gepflanzt. Aus einer Zigarrenkiste befördert er alte, verblichene Fotos, die seine Aussagen belegen. Hühner sieht man auf der Bauernstelle herumlaufen. Kuddel weiß es genau: „Die haben extra einen Zaun gesetzt, damit die Hühner nicht durch die Hecke verduften. Alles von den Bauern damals gemacht, auf ihrem Grund und Boden. Den Maschendraht kannst ja heute noch in der Hecke sehen."

Stimmung kommt auf im Vereinshaus: „Dann ist ja wohl klar, wer hier zu schneiden hat!" „Genau", brummt Kuddel und fügt bekräftigend hinzu: „Und was ich weiß, das weiß ich!" Der flotte Franz, zweiter Vorsitzender, schon länger nicht mehr so flott, ergraut und ziemlich gehandicapt, klagt: „Ich hab's schon immer geahnt, über Jahrzehnte umsonst geschnitten. Was das an Kraft gekostet hat. Wir hätten Kuddel viel früher fragen sollen!"

Franz ist es, dem es unter den Nägeln brennt, die neue Erkenntnis dem nächstbesten Hauseigentümer zu verkünden. So erfährt Gerd, ehemaliger Zollbeamter, es sei jetzt Schluss mit lustig. Von den Gartenfreunden könne man nicht mehr den Heckenschnitt erwarten, sie seien nicht Eigentümer der Buchenhecke, alte Fotos belegten es. Auf die Einreden von Gerd reagiert Franz gelassen, die Anwohner sollten lieber mal das Gegenteil beweisen. Damit wendet er sich ab und dem Rasenmähen zu.

Gerd ist so etwas wie das inoffizielle Sprachrohr der drei Hauseigentümer. Man schätzt seine Gabe, mit Gesetzen und Verordnungen umzugehen, insbesondere seine Hartnäckigkeit. Ein Schreiben an den Vorstand setzt er auf, verlangt einen deutlichen Rückschnitt, verbunden mit einer angemessenen Fristsetzung. Sollte diese nicht beachtet werden, würde man sich an die zuständige Aufsichtsbehörde wenden. Alle Anwohner unterschreiben.

Das Klima zwischen den Gartenfreunden und den Anwohnern gestaltet sich frostig. Trifft man sich, fragt schon mal einer: „Na, habt ihr die Grenzsteine gefunden? Wir warten auf Beweise!" Andere, die früher fröhlich grüßten, unterlassen es. Der erste Vorsitzende Fietsche macht da keine Ausnahme, treibt es sogar auf die Spitze: „Selbst, wenn ihr die Steine habt, heißt das gar nichts. Ich komm vom Bau, die wandern gern."

Es ist ein viel zu nasser, aber warmer Sommer. Die Buchen wachsen mit großer Freude. Hoch ist sie, die Hecke.

An einigen Stellen misst Gerd mehr als zwei Meter. Die erste Plattenreihe wird von Zweigen eingenommen. Die Anwohner greifen notgedrungen zur Schere, schneiden selbst.

Die gesetzte Frist ist noch nicht verstrichen. Vom Gartenbauamt schaut routinemäßig der für den Schrebergarten zuständige Gartenbaumeister vorbei. Der Vorstand spricht ihn auf das Heckenproblem an. Gemeinsam nimmt man den Streitfall in Augenschein. Gerd, der schon von Amts wegen geübt ist, nichts zu übersehen, kriegt das natürlich mit. Geschwind gesellt er sich dazu.

Nachdrücklich und mit lauter Stimme werden die hinlänglich bekannten Argumente ausgetauscht. Der Gartenbaumeister hört ruhig zu, meint, er werde sich mal die Liegenschaftskarte ansehen und die Grenze zur Hecke am Computer ausmessen. Immerhin gehe es hier auch um Stadtgebiet. Beide Parteien erklären ihr Einverständnis.

Mit Spannung wird sein Messergebnis erwartet. Bei Gerd und Fietsche läuft am PC eine kurze Mail auf: *Wenn es passt, nächste Woche, am Montag, um 8:00 Uhr Treffen an der Hecke mit dem KLGV-Vorstand und Vertretern der Hauseigentümer.*

Pünktlich am Morgen finden sich die Kontrahenten ein: vom Verein Fietsche und Franz und von den Anwohnern Gerd und Friedhelm. Der städtische Angestellte erklärt, er habe seine Messergebnisse vom Bauamt überprüfen und bestätigen lassen. Zweifelsfrei befinde sich die Hecke auf Kleingartengebiet, und im Übrigen dürfen die Vereinshecken satzungsgemäß nicht höher als 1,10 Meter sein. Das ginge alles an sie auch noch schriftlich raus.

Entgeistert sehen sich Fietsche und Franz an. Was für ein Desaster! Franz will es nicht glauben, kann es nicht fassen: „Die Hecke und der Zaun sind doch nicht von uns, da liefen doch immer die Hühner rum, nicht auf unserem Gelände. Wir hätten ganz bestimmt was anderes gepflanzt, eher Rosen." Friedhelm verliert die Geduld: „Eure Hühner sind Geschichte. Was vor dem Ersten Weltkrieg hier war oder nicht, interessiert keinen, auch nicht, wer wo die Hecke gepflanzt hat. Sie steht bei euch, und jetzt ist Ruhe im Karton!"

Den Vertretern vom KLGV Schlupfwinkel gehen die Argumente aus, ihnen fällt nichts mehr ein. Der Gartenfachmann will helfen, bietet einen kräftigen Rückschnitt auf Kosten der Stadt an. Hainbuchen würden so etwas vertragen und von Zeit zu Zeit benötigen. Befreit von dieser Arbeit schauen die Schreber erleichtert drein. Friede soll einkehren. Untereinander gibt man sich die Hand. Leutselig meint sogar Franz: „Schön, dass alles geklärt ist, und eigentlich haben wir uns doch immer gut verstanden. Und eins steht fest, Kuddel mit seinen Hühnerfotos soll mir nicht so schnell über den Weg laufen."

Anfang Dezember rücken Arbeiter mit schwerem Gerät an. Wo früher noch eine hohe, blickdichte Wand aus vielen Zweigen mit unzähligen Blättern stand, verbleibt nach getaner Arbeit ein kümmerlicher Rest von hüfthoch gekürzten Stämmen mit ein paar Ästen. Die Kleingärtner fühlen sich wie auf dem Präsentierteller. Pures Entsetzen steht ihnen ins Gesicht geschrieben. Abrupt offenbart sich allerlei Gerümpel und Gelumpe, achtlos zwischen

Gartenlaube und Hecke deponiert; bisher verdeckt, dem freien Blick entzogen.

Aufgeregt tuschelt man: „Grauenhaft, wie das aussieht. Gerade runtergeschnitten haben die das auch nicht. Wir hätten das unter Garantie besser gemacht. Da haben uns diese komischen Nachbarn was Schönes eingebrockt." Und der flotte Franz dröhnt: „Ich hab ja immer gesagt, mit denen kann man nicht reden! Bestimmt stecken die und der Gartenbaumensch unter einer Decke. Anders kann das gar nicht sein. Für mich sind die gestorben."

Unausgesprochen hängt es in der Luft: Hühner lügen nicht!

Der Gesandte

Bis heute ist er davon überzeugt, der Ausländer, begleitet von seiner schönen Frau, sei geschickt worden, und zwar zu ihm und keinem anderen. Wer das getan hat, weiß er genau. Davon lässt er sich nicht abbringen. Warum auch, wenn es so war. Der eine oder andere glaubt es ihm, andere tippen sich an die Stirn. Jedoch seine Wandlung kann keiner leugnen.

Hassan, der Schuhhändler in der südlichen Medina von Marrakesch, im Souk des Babouches, hat es fein sortiert in seinem Kopf. Keine Nuance lässt er beim Erzählen aus, und er erzählt gern. Schließlich lebt er in dem Land, wo der Geschichtenerzähler seit jeher etwas gilt, sei es, dass er Überliefertes haarklein und genau vorträgt oder Neues. Wahr muss es nicht sein, denn was ist schon wahr. Hauptsache, die Geschichte ist gut. Ist sie gar *köstlich und spannend*, so lautet die Überlieferung, sei so manch Verurteilter von seiner gerechten Strafe freigekommen.

Im Halbkreis sitzen sie auf bunten, meist roten Plastikstühlen um Hassan herum, hinter ihm sein Geschäft mit der Auslage von Schuhen. Jeder hat Zeit, viel Zeit. Zum Durchschlängeln auf dem Gang zwischen den kleinen Läden reicht es gerade. Man ist das gewohnt. – Hören auch wir ihm zu!

„Wie jeden Tag, am späten Vormittag habe ich aufgemacht. Hier und da reihte ich neue Schuhe ein, schön säuberlich, wie es sich gehört. Vorne stehen die bunten Babuschen, unsere traditionellen Pantoffeln, die sowohl

Männer als auch Frauen tragen können. Ihr wisst, dass ich besonders schöne habe, in allen Größen und Farben. Wenige sind ganz aus Leder, die Touristen merken das nicht. Mein Neffe besprüht sie mit einem Lederduft-spray. Wir machen das alle so." Beifälliges Gemurmel und Nicken begleiten seine Rede.

„Bei Gott, ich weiß es noch genau. Es ist schon viele Monate her, wie er aus dem Nichts mit seiner Frau vor mir stand. Es kommt mir vor, als sei es gestern gewesen. Viele Touristen drängeln und schieben sich durch unsere Gassen. Auf den ersten Blick schien er einer von ihnen zu sein. Wir kennen uns aus, sofort wissen wir, wo sie herkommen, ob sie Amerikaner, Engländer, Franzosen, Deutsche sind und so weiter.

Bei ihm war ich unsicher, und damit fing alles an. Er war groß, breitschultrig, hielt sich gerade, sein Alter war kaum zu schätzen, volles Haar auf dem Kopf, etwas an-gegraut, ein wenig von der Sonne ausgeblichen. Als er sprach, sah ich seine Zähne. Sie waren gesund und voll-ständig. Wer von uns hat so was noch, keiner!"

Mit den Touristen kennen sich die Zuhörer aus. Jede Nation hat ihre Eigenarten. Eigentlich jeder, der durch den Basar schlendert, kann in seiner Heimatsprache an-gesprochen werden, ein Schlüssel zum Verkaufserfolg. Dass Hassan es bei dem Fremden nicht konnte, war schon sehr verwunderlich.

„Das ist es ja, was mich gleich stutzen ließ. Er sprach Französisch, viel besser als ich, beherrschte ein paar Brocken Arabisch, sagte aber, dass er aus Deutschland käme. Nur, er sah nicht so aus wie die Deutschen, die wir kennen, seine blonde Frau auch nicht. Sie betrachtete meine ausgestellten Schuhe, nannte mir ihre Schuhgröße, für die ich ein paar passende raussuchte. Ich händigte ihr ein Paar gute Babuschen aus, genau in der Farbe, die sie sich vorstellte. Ihr Mann tat mir die Ehre an, um den Preis zu feilschen. Obwohl er nach seiner Aussage das erste Mal in Marokko war, machte er es gut, viel zu gut."

Mahmut, der Wollfärber, hält es schon länger nicht auf seinem Stuhl aus. „Hast du ihn nicht gefragt, was er macht und wie alt er ist?"

„Natürlich hab ich das. Wir Berber wollen ja wissen, mit wem wir es zu tun haben. Er sah mich lächelnd an und meinte nur auf Englisch, er hatte schnell herausbekommen, dass ich darin gut bin: *Das glaubst du mir nicht. Geh davon aus, dass ich über siebzig bin. Ich war mal Unternehmer, meist mit Erfolg.* So war es, und mehr war aus ihm nicht herauszubekommen.

Dafür fragte er mich aus wie ein richtiger Berber. Ich erzählte ihm viel aus meinem Leben, dass ich geschieden sei, mit meiner Frau keinen oder kaum noch Kontakt habe, dafür um so mehr mit meiner Tochter Samira, die in Agadir studiert und wegen ihrer Begabung und ihres Fleißes vom König das Medizinstudium bezahlt bekommt. Er bat mich, ihnen zu zeigen, wie man zur Medersa komme, der ehemaligen Koranschule, die jetzt für Besucher offensteht. Da der Weg für einen Fremden durch die verschlungenen und verwinkelten Gassen unseres Souks nicht ganz einfach ist, bot ich ihm an, sie beide zu führen."

„Da hast du natürlich gleich ein Geschäft gewittert, nicht wahr? Ihn in die einzelnen Läden geführt, Provisionen kassiert und anschließend noch, du als Meister in der Kunst des Schmeichelns, Geld für die Führung erbeten, oder nicht?"

Hassan schüttelt den Kopf: „Klar, das wollte ich, irgendwie schaffte ich es aber nicht. Ich rauchte noch schnell eine Zigarette, im Gehen schickt sich das nicht, bat meinen Neffen auf mein Geschäft aufzupassen und ging mit ihnen los. Der Fremde ahnte, was ich vorhatte, erklärte mir, er brauche nichts, wolle nur schauen, er habe schon mehr als er brauche. Falls möglich, möchte seine Frau fotografieren, sie war sehr charmant. Ich nannte sie *Princess*, ein Lachen konnte sie sich nicht verbeißen.

Gern habe ich ihnen die Sehenswürdigkeiten und unsere Handwerker bei der Arbeit gezeigt. Vorbeigeschaut haben wir bei den Schneidern, den Stickerinnen und Kordeldrehern, dem Silberschmied, den Tischlern mit ihren einzigartigen Intarsienarbeiten und haben den Gerbern wegen des infernalischen Gestanks nur von weitem zugesehen.

Für einen unverzichtbaren Höhepunkt halte ich immer wieder den Eintritt bei Mulay in dessen Warenhaus. Jeder Tourist wird nahezu erschlagen von der Vielzahl an handgewebten Teppichen, dem glänzenden, funkelnden Schmuck auf und in den Vitrinen, den unterschiedlichsten Möbeln, Textilien und erlesenen Haushaltswaren aller Art. Allein schon wegen der unvergleichlichen Kostbarkeit der Ausstattung, der seidenen Wandbehänge und der mit Schnitzwerk aus uraltem Olivenholz versehenen Türen und Fenster kommt dieses Haus einem Palast gleich.

Und wisst ihr was? Alle haben die beiden freundlich angesehen, verweigerten auf ihre Bitte kein Foto, haben kein Geld dafür verlangt. Selbst Mulay machte keine Ausnahme. Er ließ es sich nicht nehmen, sie höchst persönlich durch sein Haus zu führen. Es bereitete ihm sichtlich Freude, über das Alter des Gebäudes zu reden, über die Vorbesitzer und vieles mehr. Voneinander schieden sie wie gute Bekannte. In keiner Weise hat er sie zum Kauf animiert."

Jetzt sind auch die Zuhörer an der Reihe zu staunen. Das war nun wirklich ungewöhnlich.

„Ich sage euch, mir kam das alles sehr merkwürdig vor. Das erlebt man nicht alle Tage! Mehrmals habe ich ihn von der Seite angesehen, genau gemustert. Schließlich habe ich es getan. Ich habe ihn gefragt, ob er in Wirklichkeit ein Berber sei, einer von uns. Seine Nase, seine Augen und die Augenbrauen, der Mund, all das stimme. Er sei gewiss ein vornehmer und reicher Berber und mache sich einen Spaß mit mir und den anderen. Auffällig sei auch, dass seine Frau einen teuren Berberschmuck um den Hals trage. Der Fremde hat herzhaft gelacht, seine Frau auch, und mir erwidert, da sei nichts dran. Er sei Deutscher, und dabei bleibe es.

Da sie noch einem Schmied intensiver zuschauen wollten, der sich gerade anschickte, einem großen kunstvoll verzierten Eisengitter den letzten Schliff zu geben, hielt ich es für angebracht, mich kurz in ein Café abzusetzen und dort erst einmal eine zu rauchen. Das verhinderte er, sah mich an, wusste genau, was ich vorhatte. *Mein Freund, du solltest nicht mehr rauchen*, sagte er, *du hustest schon die ganze Zeit. Es wird schlimm mit dir enden. Denk an deine Tochter und an dich. Ich kann dir viel und*

Schreckliches über Lungenkrebs und den Krebstod erzählen.
Du weißt es selbst. Darum erzähl ich dir etwas anderes. Gott
hat uns Menschen den freien Willen geschenkt, wir können
Gutes, aber auch Böses tun. So ist das Böse in die Welt ge-
kommen, nicht von Gott, sondern von uns, den Menschen. Du
bist schon seit Jahren dabei, dir selbst Böses anzutun. Nicht
Gott kann es ändern, du selbst musst es tun, und zwar sofort,
also heute.

Umgehauen hat es mich, bei Gott, dem Allmächtigen
und Weltbeherrscher. Diese Weisheit kennen wir alle,
ob gläubig oder nicht, es ist die Weisheit der arabischen
Mystiker, die uns den Koran gebracht haben. Erwischt
hat es mich. Ich konnte nicht anders, habe seine Hand
genommen und ihm feierlich geschworen, nie wieder zu
rauchen, Gott sei mein Zeuge. Anschließend haben wir
noch das eine oder andere gesprochen, viel war es nicht,
denn wir näherten uns der Medersa. Ich, Hassan, habe
den Fremden umarmt. Er hat mir fest die Hand gedrückt,
mich an meinen Schwur erinnert und gesagt, Gott sei
auch in mir. Ich frage mich bis heute, wer er tatsächlich
war. Meinen Schwur habe ich gehalten, ihr wisst es."

Andächtiges Schweigen legt sich auf die Versammlung
der Zuhörer. Es ist der ungeduldige Mahmut, der sich zu
Wort meldet: „Und was hat deine Tochter, die angehende
Ärztin, dazu gesagt, dass du nicht mehr rauchst?"

„Sie hat gesagt, die Sache mit dem freien Willen finde sie
richtig, dem kann sie nur beipflichten. Dass es aber eines
Gesandten bedurfte, damit ich mit dem Rauchen aufhöre,
finde sie schon sehr seltsam. Aber wenn es nützt, hat sie
nichts dagegen. Ich solle nur weiter daran glauben."

Hassan verbeugt sich vor seinen Freunden und Bekannten, erhält kräftigen und langen Beifall, wie es sich für einen guten Erzähler gehört. Nachdenklich erheben sich die Raucher, es sind ihrer nicht wenige, und räumen die Stühle beiseite.

Zu Fall gekommen

Über Alfred Rambien lässt sich viel erzählen. Wer sich seiner erinnert, wird sich hundertprozentig seiner Neigung zu fallen erinnern.

Das ging schon mit Alf als Kind los. Kein Kind fiel jemals so viel auf die Nase wie er. Sehr bald weigerte sich sein Vater Ernst, sich mit ihm auf der Straße sehen zu lassen. Eine Schande sei es, wie häufig der Bengel hinfliege, der liege ja mehr im Dreck als dass er ginge. Langsam beschlichen ihn Zweifel, ob der Alfred wirklich von ihm abstamme.

Ein schwerer Vorwurf und alles andere als berechtigt, denn Ernst Rambien hätte sich mal an seine eigene Nase fassen sollen. Statt der Fallsucht seines Sohnes stieß er sich den Kopf. Kaum eine Gelegenheit ließ er aus. Darauf durfte ihn aber keiner ansprechen, das wagte auch keiner.

Hatte er sich mal wieder seinen kahlen Schädel ramponiert, sei es, weil er zu schnell hoch kam und dabei nicht bedacht hatte, dass über ihm ein Schrankregal hing, oder er die niedrige Kellertür nicht zum ersten Mal falsch einschätzte, so knallte es nicht nur mächtig, dass man wirklich Angst um die Unversehrtheit des groß gewachsenen Familienoberhauptes haben musste, sondern jeder in der Familie wusste, mit Ernst ist ab sofort nicht gut Kirschen essen.

Patriarch Ernst steckte seinen Sohn in einen Turnverein. Hier sollte er gefälligst lernen, sich zu bewegen und seinen Körper zu stählen. In gewisser Weise half das. Das ungewollte Fallen aus dem Stehen, Gehen oder Laufen unterblieb mit der Zeit. Alfreds Zutrauen zu seinem Körper und seinen Fähigkeiten stieg ungemein. Tatsächlich verfeinerte er seine Neigung zu fallen. So erlangte er, als er noch zusätzlich in einen Fußballverein eintrat, sehr schnell eine gewisse Berühmtheit wegen seiner Fallrückzieher. Für seine Vereinskameraden gilt er bis heute als der wahre Erfinder dieses Fußballtricks.

Gern ließ er nach mehreren Riesenwellen am Reck die Stange los, sauste durch die Luft, fiel und stand kerzengerade wie eine Eins vor dem Gerät. Heftigen und lang anhaltenden Beifall heimste er ein. Viele fragten sich, wo Alfred den Mut hernehme. Keiner wusste, dass Alfred schon als kleines Kind die Angst vor dem Hinfallen verloren hatte.

So brillierte er auch bald als Turmspringer. Salto mortale und andere Kunststücke lagen ihm und sicherten ihm nicht nur den Respekt in der Turnerschaft, sondern auch die Bewunderung der Weiblichkeit.

Seiner blutjungen und bildhübschen Verlobten Johanna zeigte er, was in ihm steckte. Statt ganz normal über eine Flussbrücke zu schreiten, kletterte er auf den Brückenbogen aus Stahl, zog sich an ihm hoch, um dann Johanna aus vier Meter Höhe zuzuwinken, die angstvoll zu ihrem Liebsten aufblickte. Ein kleines Stück balancierte Alfred auf dem stählernen Halbkreis, rutschte anschließend den Rest behände wie ein Affe runter. Erleichtert umarmte seine Johanna den Tausendsassa. Sie wusste damals nicht um seine ausgeprägte, lediglich sublimierte Fallsucht.

Wenn Alfred fiel, dann fiel er fortan aus der Höhe, zum Beispiel von einem hoch beladenen Heuwagen. Seine Kunstsprünge verhalfen ihm dabei, fast immer rechtzeitig auf die Beine zu kommen und sich nicht zu verletzen. Ähnlich wie eine Katze, die sich im Fallen noch drehen kann, so dass sie immer auf allen Vieren landet.

Sein Vater jedoch ließ sich in seinem Urteil nicht beirren. Er war nach wie vor davon überzeugt, dass irgendwas mit seinem Sohn nicht stimme und es noch ein böses Ende mit ihm nehme. Mit sich war er im Reinen: „Ich habe getan, was zu tun war, und wenn einer so dämlich ist, dauernd hinzufallen, dann ist das seine Sache."

Ganz falsch lag er nicht, mit zunehmendem Alter musste man sich Sorgen um Alfred machen. Luftige Höhen lagen ihm immer noch. Gern kletterte er auch als rüstiger Rentner auf die große Leiter, um auf dem Garagendach nach dem Rechten zu sehen oder den noch letzten Apfel aus der Spitze eines Baumes zu pflücken. Beim Obstpflücken stieg Johanna meist hinterher, hielt ihn resolut am Fuß fest und hinderte ihn so daran, noch weitere Sprossen zu erklimmen. Hatte sie doch kürzlich erlebt, dass Alfred mal wieder gestürzt war – mitsamt der Leiter. Eine Rippe brach er sich dabei. Er selbst nahm das gelassen hin.

Es ist der erste November. Im Dachgeschoss seines zweistöckigen Hauses will Alfred nachmittags aufräumen. Nicht gesagt hat er, dass er auch beabsichtigt, nicht nur das Veluxfenster zu kontrollieren, sondern auch den Holzrahmen nachzustreichen. Alfred ist ein Penibler. Um die vorderste Ecke zu erreichen, lehnt er sich weit hinaus, verliert das Gleichgewicht, schießt mit dem Pinsel in der Hand einer Rakete gleich aus der Fensteröffnung, rauscht die Dachpfannen runter, gibt sich einen Stoß von der Dachrinne und fällt danach noch sechs Meter tief. Wie die Polizei später ermittelt, betrug die gesamte Fallhöhe über 7,50 Meter.

Johanna hört Gepolter und einen entsetzlichen Schrei. Ihr Mann liegt mit dem Gesicht und dem Oberkörper im Rosenbeet, der Rest von ihm auf den Betonplatten der Terrasse. Beine und Arme merkwürdig verdreht. Das Stöhnen ihres Mannes verrät, dass er noch lebt, aber wie lange noch?

Nach ihrem Notruf ist die sonst so ruhige Anliegerstraße voll mit Polizeiwagen, Feuerwehr und Rettungswagen. Kreisendes Blaulicht, geschäftig hin und her eilende Personen zeigen die Dramatik. Die Sanitäter weigern sich, Alfred hochzunehmen. Zu riskant erscheint es. Keiner von ihnen will die Verantwortung übernehmen. Der hastig herbeigerufene Notarzt entscheidet, wie man am besten Alfred auf die Liege bringen könne. Wertvolle Zeit verstreicht. Alfred stöhnt und brummt entsetzlich.

Schließlich haben sie es geschafft. Türen fallen ins Schloss. Johanna sitzt bei ihrem Alfred im Rettungswagen, der zum nahegelegenen Universitätskrankenhaus rast.

Über zwanzig Brüche zählen die Chirurgen, darunter Beckenbrüche, Steißbeinfraktur, Trümmerbrüche im Fuß, Brüche in den Armen, den Beinen und im Schlüsselbein. Ganz zu schweigen von einem hochkomplizierten Bruch im Handgelenk. Ein Wunder, dass er überhaupt noch lebt. Das findet am nächsten Tag auch ein bekanntes Boulevardblatt. Es titelt: „Sturz aus 10 Metern Höhe, Schutzengel fliegt mit!"

Hoch dosierte Schmerzmittel erlauben es Alfred, viele Tage im Bett zu verbringen, ohne sich rühren zu können. Martialisch aussehende Gestelle mit Gewichten fixieren ihn auf einem Gipsbett. Schmale Plastikschläuche führen von seinem Körper zu am Bett befestigten Beuteln. Seine beiden Söhne haben diesen Anblick und das versteinerte, von Rosendornen verkratzte Gesicht ihres Vaters bis heute nicht vergessen

An mehreren aufeinanderfolgenden Tagen operieren sie ihn. Der Chirurg Dr. Wünsche hat in seiner Klinik schon viel gesehen, aber so etwas noch nicht. Der sich sorgenden, kummervollen Frau Rambien erklärt er: „Einen Sturz auf Betonplatten aus solcher Höhe überlebt eigentlich keiner. Wie Ihr Mann es geschafft hat, mit seinem Oberkörper noch ins Blumenbeet zu knallen, gleicht einem Wunder. Und ohne seine dicke Unterwäsche und dem Leibchen wäre er wohl kaum hier. Wir mussten sehr viel schneiden, um durch seine Kleiderschichten an ihn zu gelangen. Mir hat er erzählt, seit dem Russlandfeldzug stehe er mit der Kälte auf Kriegsfuß. Kurzum, er wird wieder gehen können. Bewegungseinschränkungen werden trotz Reha bleiben. Welche genau und in welchem Umfang wird sich zeigen. Er ist aber ziemlich zäh, Ihr Mann."

Die Weihnachtszeit kommt näher. Alfred erholt sich zusehends. Das Fixiergestänge haben die Schwestern abgebaut. Trotzdem ist er noch ans Bett gefesselt. Gespräche mit der Stationsleitung ergeben, dass im Grundsatz einem

Weihnachtsaufenthalt zuhause nichts im Wege stehe. Man müsse jedoch bedenken, dass der Patient nicht gehen dürfe. Darum brauche er einen Rollstuhl und müsse mit allem, was nötig sei, versorgt werden. Johanna und ihre Söhne wollen es ermöglichen, auch wenn diese schon länger aus dem Haus sind. Das Weihnachtsfest soll nicht ohne Ehemann und Vater stattfinden.

Alfred hat sich verändert, innerlich schaut er drein, redet wenig. Geduldig lässt er die notwendigen, unerlässlichen Handreichungen über sich ergehen. Normalerweise verlaufen die Weihnachtsvorbereitungen im Hause Rambien nicht besonders harmonisch. Dafür sorgt im Wesentlichen Alfred. Seine Spezialität ist das Aufstellen des Tannenbaumes, allen graut davor.

Es ist immer ein besonderer Akt, bis sich der Baum in dem Ständer genau senkrecht befindet. Fast immer ist das Stammende nach dem Urteil von Alfred zu dick. Meist säbelt er unten zu viel ab, so dass er anschließend der Standhaftigkeit mit Keilen versucht beizukommen. Dies gelingt leider unterschiedlich gut. Fast überflüssig zu erwähnen, dass Alfred seine Arbeit mit Flüchen und Verwünschungen würzt.

Danach kommt Stufe zwei. Die Familie hütet einen besonderen Schatz, der nur zu Weihnachten herausgeholt wird, eine silbrig funkelnde Tannenbaumspitze. Sie ähnelt dem Aufsatz auf einer preußischen Pickelhaube, nur größer und natürlich schöner. Auch die muss selbstverständlich kerzengerade nach oben zeigen, was sie von sich aus selten tut. Ein weiteres Ärgernis, dem Alfred wieder mit wenig handwerklichem Geschick entgegentritt.

An diesem besonderen Weihnachtsabend übernehmen die Söhne Vaters Arbeit. In wenigen Minuten steht der Baum, auch die sorgsam gehütete Tannenbaumspitze findet ihren korrekten Platz. Aus dem Rollstuhl betrachtet Alfred seine Kinder und wundert sich. Seit langer Zeit Frieden und vorweihnachtliche Stimmung. Und so bleibt es die gesamte Weihnachtszeit.

Das nächste Weihnachtsfest verlebt Alfred Rambien nicht mehr im Rollstuhl. Er kann wieder gehen, ist jedoch angewiesen auf orthopädisches Schuhwerk. Die übrigen Gliedmaßen lassen sich mit geringen Einschränkungen auch recht ordentlich bewegen. Fortan unterlässt er auf Wunsch seiner Frau das Aufstellen des Weihnachtsbaumes, kauft ihn statt dessen gerade gewachsen im Topf. Selbst die Edelspitze verbleibt im Keller, bis Johanna sie bei einem Hausputz ungefragt und voll Freude in die Mülltonne schmeißt.

Fast alle, die ich kenne, meinen, Alfreds Fallen habe ein Ende gefunden, aber so ganz sicher sind sie sich nicht. Aber alle wissen, erschütternde Unfälle gab es nicht mehr, und einig sind sie sich, sehr alt wurde er, fast hundert.

Bescherung auf der Straße

Karin Falter war eine beliebte Postbotin. Nicht nur ich mochte sie. In ihrem Zustellbezirk kannte sie jeden, und jeder kannte sie. War es nicht gerade besonders nass oder kalt, sah man ihr an, wie sie Freude an dem Austragen der Briefe hatte. Bog sie auf ihrem gelben Rad mit den großen schwarzen Taschen vorn und hinten in die Straßen ein, winkten ihr die Menschen zu. Auch die Hunde waren ihr wohl gesonnen. Schwanzwedelnd erwarteten sie ihre Postbotin, sprangen aufgeregt an ihr hoch, darauf aus, ein Leckerli zu bekommen.

Traf sie den einen oder anderen nicht an, wusste sie, bei wem sie die Post hinterlassen konnte. Das ging in ihrem Bezirk in Ordnung, denn die meisten pflegten Kontakt zu den Nachbarn. Also kein Wunder, dass dieser Wohnort in der polizeilichen Kriminalstatistik als weißer Fleck geführt wurde: Einbrüche wurden so gut wie nicht registriert. Fremde fielen sofort auf. Nicht ohne Hintergedanken fragte man gern, ob man ihnen behilflich sein könne.

Im Winter fluchte Karin Falter manchmal laut über die eisglatten Wege, zumal sie in ein Kleingartengebiet radeln musste. Schneeräumen Fehlanzeige! Nach dem Kriege hatten sich einige Flüchtlinge Behelfsheime gebaut, die mit der Zeit immer größer und solider wurden. Den zuständigen Behörden fielen die Bauten zuerst nicht auf, später duldete man sie, und jetzt musste Frau Falter die Post auch dorthin bringen, kein leichtes Brot.

Besonders zu Weihnachten erlebte sie die Wertschätzung ihrer Kunden. Viele drückten ihr ein kleines Trinkgeld in die Hand und bedankten sich für die freundliche und zuverlässige Zustellung bei Wind und Wetter.

Es hätte alles so schön sein können, wenn es Peter Schmollig nicht gegeben hätte, einen alleinstehenden, pensionierten Justizhauptsekretär, der sich selbst nicht ausstehen konnte und andere schon gar nicht. Ständig nörgelte er an dem Verhalten seiner Mitmenschen herum und hielt mit seiner Meinung naturgemäß nicht hinter dem Berg. Beim Landgericht, vor allem im Geschäftszimmer 212, war man heilfroh, als man ihn endlich los war. Jetzt im Ruhestand hatte er es auf Karin Falter abgesehen.

Einen Briefkasten besaß er schon lange nicht mehr, den hatten ihm Jugendliche in einer trüben Silvesternacht mit ein paar Chinaböllern akkurat in die Luft gesprengt. Von der Postbotin verlangte er fortan, sie möge ihm doch bitte die Post ganz dicht an die Haustür legen. Meist kam er ihr aber entgegen und nahm die Briefe ab. Alles, was vor seinem Haus passierte, hatte er genau im Blick. Ganz bewusst hielt er die Hecke zur Straßenseite niedrig.

Er erhielt viel Post, denn er schrieb gern und viel, besonders Beschwerdebriefe. Selten war er mit der Zustellung zufrieden, mal kam ihm die Post zu spät, mal lag sie nicht dicht genug an der Haustür, so dass sie vom Regen durchnässte. Den größten Tanz erlebte Karin Falter, als sie seine Post eines Tages der Nachbarin aushändigte. Dabei hatte sie es nur gut gemeint, denn schließlich hatte sie ihn nicht angetroffen, es stürmte mächtig und die Briefe wären mit Sicherheit weggeflogen. Aufgebracht erklärte er ihr am nächsten Tag, sie habe eine schwere Dienstverfehlung begangen, das würde Folgen haben und ob sie vielleicht mal daran gedacht habe, seine Post mit einem Stein zu beschweren.

Das war der Postbotin eindeutig zu viel. Schon lange reichte es ihr mit dem Querulanten. Wütend entgegnete sie ihm: „Wenn Sie einen Briefkasten hätten, wie es Vorschrift ist, wäre das alles gar nicht passiert. Ohne Briefkasten brauche ich Ihnen überhaupt nichts mehr zuzustellen!" Dem Justizhauptsekretär verschlug es die Sprache, er unterließ die angedrohte Beschwerde. Von da an bemühte er sich, ihr jeden Tag entgegenzugehen und die Post abzunehmen. Worte wurden dabei nicht gewechselt, und einen Briefkasten gab es natürlich immer noch nicht.

Karin Falter wurde krank. Sie fiel fast ein Jahr aus. Viele Vertretungen erledigten abwechselnd ihre Arbeit. Ersatz für Karin Falter waren sie nicht. Aber sie kam wieder, kurz vor Weihnachten und noch nicht ganz gesund. Bald wussten alle, was sie hatte und wünschten ihr schnelle, vollständige Genesung. Und weil Weihnachten bevorstand, gab es für sie wieder das kleine obligate Geldgeschenk, und eigentlich jeder fügte noch den Satz hinzu: „Hoffentlich bleiben Sie uns jetzt erhalten."

Eine besondere Überraschung hielt Peter Schmollig an ihrem ersten Tag für sie bereit, und die wird sie so schnell nicht vergessen. Sie fuhr mit ihren übervollen Taschen, vor allem gefüllt mit weihnachtlichen Grußkarten und kleinen Päckchen, die Straße hinunter. Man war auf Weihnachten eingestellt. Die Anwohner hatten ihre Fenster von drinnen mit Lichterketten geschmückt, und an den Haustüren hingen bunte Weihnachtskränze.

Sie wusste, was sie erwartete. Wie üblich schritt der unleidliche Gerichtsbeamte auf sie zu und holte dabei tief Luft. Bevor er aber überhaupt eine seiner unsäglichen Nörgeleien loswerden konnte, hörte er Karin Falter sagen: „Ich war's nicht, ich war fast ein Jahr weg!" Peter Schmollig schüttelte den Kopf, sah sie fest an, und dann kam es aus ihm heraus: „Frau Falter, ich bin so froh, dass Sie wieder da sind. Was meinen Sie, was ich mit Ihren Vertretungen erlebt habe, die kamen, wie sie wollten. Keiner von denen taugte was. Mir wurde sogar ein Briefkasten aufgezwungen. Frohe Weihnachten wünsche ich Ihnen, und hier hab ich noch eine Kleinigkeit für Sie."

Fassungslos griff die Postbotin Karin Falter nach seiner Hand. Sie brachte noch gerade einen Dank heraus. Als sie sich ihrem Rad zuwandte, wusste sie, das war seit Langem ihr schönstes Weihnachtsgeschenk. Richtig glücklich fühlte sie sich, und sie wusste auch, sie war wieder heim in ihrem Revier.

Statt eines Nachwortes

*mit freundlicher Genehmigung des Verfassers, stellvertretend
für andere Mails*

Lieber Herr Bosien,

da spiele ich, mit inzwischen absolvierten 50 Lebensjah-
ren, mit dem Gedanken, mir nächstes Jahr ein kleines
Wohnmobil zuzulegen und auf wen treffe ich da im Netz?
   Den kenne ich doch? Ist das nicht mein „alter" Lehrer
Günter Bosien?
   Ich gebe zu, Sie noch immer vor meinem „geistigen
Auge" präsent zu haben. Sie haben sich gar nicht verän-
dert, also muss er das sein...
   Als wäre es gestern gewesen, sehe ich mich (uns) noch
heute, als ich in den frühen 80ern mit meinem Käfer Ca-
brio einmal fast an Ihrer Fahrradabstandshalteklappkelle
hängen geblieben wäre. Todesmutig, sich nur auf dieses
Stückchen Plastik verlassend, wechselten Sie abrupt die
Fahrbahn und zwangen mich zu einer Vollbremsung. Sie
haben davon nichts mitbekommen und erfahren es erst
heute.
   Es war Winter, und ich fuhr dennoch offen von der
Kasernenstraße, hab noch heute „The Hymn" von Barclay
James Harvest aus meiner Clarion-Musikanlage in den
Ohren. Die Musik wurde nur durch die vorwurfsvollen
Worte meines Mitschülers und damaligen Freundes über-
tönt, dessen Name ich hier aber bewusst nicht nennen

möchte, weil Sie Ingo eventuell noch kennen könnten: „Was bremst du? Das war der Bosien!"

„Valley's deep and the mountains so high if you wanna see god you've got to move on the other side...", so beginnt der erwähnte Song, und ich meinte nur: „Der Bosien nimmt's aber wörtlich!"

Ich würd es wieder tun, bremsen, meine ich. Sie waren mir einer der Liebsten, neben Herrn F., und das meine ich wirklich so. In Ihrem Unterricht gab es immer was zu lachen, und ich mochte Ihren lakonischen Wortwitz. Ich hatte mal in irgendeiner Klausur eine kuriose „Variante" des Marshallplanes formuliert, hatte keine Ahnung, worum es ging, und es hat Sie so erheitert, dass Sie mir sogar für Schwachsinn einen Punkt gaben... Das war GRÖSSE!

Das vergesse ich nicht und freue mich heute umso mehr über Ihre wertvollen Tipps für Womo-Einsteiger. So kann ich auch heute weiterhin von Ihnen lernen!

Vielen Dank, lieber Herr Bosien! Ich denke in der „Tretmühle des Alltages" oft an diese wunderbare Schulzeit, bin Vater zweier wunderbarer erwachsener Kinder und inzwischen sogar „Opa" einer 5-jährigen Prinzessin..."

Ihr ehemaliger Schüler
Thorsten Lesko

Über den Autor

Günter Bosien wurde 1945 in Flensburg geboren. Nach einer Lehre zum Industriekaufmann und einer Angestelltentätigkeit absolvierte er zwei Studiengänge zum Betriebswirt und Diplom-Handelslehrer. Es folgten über dreißig Jahre Unterrichtserfahrung an einem Hamburger Wirtschaftsgymnasium. Neben dieser meist in Teilzeit ausgeübten Tätigkeit beriet Günter Bosien Unternehmen bei der Vermarktung innovativer Produkte. Seit geraumer Zeit ist er als zugewählter Bürger kommunalpolitisch aktiv.

Als Sprecher einer Bürgerinitiative schrieb er den Ratgeber *Bürger wehren sich erfolgreich, Erfahrungen und Tips*. Dieses Erstlingswerk aus dem Jahre 1994 war vor dem Hintergrund der erfolgreichen Sanierung aller in Hamburg befindlichen mit Holzschutzmittel verseuchten Kindertagesstätten schnell vergriffen.

2009 und 2011 kamen Reiseerzählungen unter dem Titel *Grenzen überschreiten – Menschen begegnen* und *Traumfänger unterwegs* auf den Markt. Beschreibung und Beleuchtung skurriler Verhaltensweisen führten 2013 zu dem ausverkauften Erzählbuch *Vorhang auf: Artiges und Abartiges*.

Näheres über den Autor und seine Bücher findet sich auf seiner Website *www.geschichten-harfe.de.*

Lightning Source UK Ltd.
Milton Keynes UK
UKHW010805281221
396285UK00002B/285